LES FEMMES DANS L'AGRICULTURE AU QUÉBEC

Suzanne Dion

LES FEMMES
DANS L'AGRICULTURE
AU QUÉBEC

ASSOCIATION DES FEMMES COLLABORATRICES
14 ABERDEEN
ST-LAMBERT, QUÉ.   J4P 1R3

LES ÉDITIONS LA TERRE DE CHEZ NOUS

Conception visuelle : Lamothe, Loranger enr.
Correction : Christine Dufresne
Composition : Les entreprises Précigraphes ltée.

LES ÉDITIONS LA TERRE DE CHEZ NOUS
555 boul. Roland-Therrien
Longueuil, J4H 3Y9

REMERCIEMENTS

Le soutien financier et technique des organismes suivants a permis la réalisation de ce projet : le ministère de l'Agriculture, des Pêcheries et de l'Alimentation du Québec ; le journal La Terre de chez nous *et l'Université de Montréal.*

Ce travail a été réalisé dans le cadre d'une recherche dirigée par Madame Gisèle Painchaud-Leblanc, professeure au Département d'andragogie et vice-doyenne à la recherche à la Faculté des sciences de l'éducation de l'Université de Montréal.

Plusieurs personnes ont fourni du travail technique et/ou des informations à différentes étapes du projet, ce sont : Ghyslaine Adam, Monique Bernard, Denise Blanchette, Lucie Cadieux, Louise Chantal, Françoise Demers, Solange Deraspe, Rosaline Désilets-Ledoux, Solange Gervais, Daniel Hamel, Jacques Janelle, Michèle Jean, Diane Jodoin, Rita Lafond, Serge Lafond, Paul Langelier, Alain Lapostolle, Serge Lebeau, Michel Leroux, Jean-Yves Lohé, Françoise Mondor, Michel Morisset, Jacqueline Proulx, André Thibault, Claude Touchette, Denyse Tremblay, Lucie Verville, Léo Vigneault. À toutes et à tous, merci.

PRÉFACE

J'ai connu Suzanne Dion durant les travaux de la Commission d'étude sur la formation professionnelle et socio-culturelle des adultes. Sachant que tout ce qui concerne la condition des femmes avait constitué une partie importante de mon écriture et de mon action depuis vingt ans, elle m'a alors parlé avec beaucoup d'enthousiasme des recherches qu'elle avait entreprises sur la question des femmes en agriculture au Québec. Lorsqu'elle m'apprit que son travail ferait l'objet d'une publication, j'en ai été très heureuse et c'est avec plaisir que j'ai accepté d'en rédiger la préface.

La majorité des femmes ne vivent plus en milieu rural et la question étudiée ne concerne donc qu'une petite proportion de Québécoises. Cependant, plusieurs des questions évoquées rejoignent l'ensemble des femmes : la prise de décisions, le partage du pouvoir et des tâches domestiques, la fatigue, le manque de formation adéquate, l'occultation du travail ménager (que certaines ont souligné à l'auteure) et le rapport ambigu des femmes à l'argent.

Parcourant ce travail, je sentais, au-delà de la sécheresse des données quantitatives, les joies, les difficultés, les interrogations et les attentes de toutes ces femmes, mes sœurs, qui s'étaient assises un jour, un soir, crayon en main pour répondre à ce sondage, s'offusquant peut-être de certaines questions, se réjouissant de certaines autres et du fait qu'on s'adresse directement à elles, écrivant une réponse, la raturant, réfléchissant, et se demandant au fond l'éternelle question des femmes, « Qui suis-je ? ».

Deux phrases du texte constituent peut-être des éléments de réponse à cette question : « En échange de leurs investissements en temps, en argent, en compétence, en préoccupations, les femmes ne reçoivent pas grand-chose officiellement. » Et : « Le pouvoir, c'est parfois le temps, l'expérience, la formation, l'information. » Je relis et je me dis que ce sont là toutes choses dont les femmes ont été très souvent privées, toutes choses qu'elles souhaitent en grand nombre pouvoir acquérir, toutes choses que les mouvements féministes, sans toujours être compris, ont revendiqué, toutes choses qui ne sont pas étrangères à la construction de l'identité.

À travers les réponses codifiées par strates d'âge on se rend compte que les 15-25 ans, même si elles ont une bonne formation et le désir d'être reconnues dans leur travail, ont peu de temps et de possibilités pour pousser et susciter des changements. Rejoignant en cela un certain nombre des « urbaines », elles ont, remarque l'auteure, à stabiliser leurs relations conjugales et à organiser leur vie quotidienne. Ce sont plutôt les aînées, les 25-40 ans, ayant plus d'expérience, qui souhaitent préciser leur rôle et acquérir une bonne formation professionnelle. Mais elles ont peu de temps. Et, lorsque le temps est disponible, c'est souvent la confiance en soi qui fait défaut, l'image de soi qui est faible. Comme me l'exprimait une femme ayant repris des études : « J'ai tellement passé de temps à m'occuper des autres que je ne sais plus qui je suis. »

Au cours des dernières années, un travail d'analyse et d'action a été amorcé, mais il reste encore beaucoup à accomplir et ce livre est une pierre ajoutée à la connaissance du vécu des femmes et particulièrement de celles qui s'inscrivent dans la longue lignée des fermières et des colonisatrices ayant, autant que les hommes, construit le Québec.

Depuis le début du siècle, l'agriculture a changé de visage. Elle exige maintenant, dans la plupart de ses opérations, une formation professionnelle poussée. Les femmes qui travaillent dans ce secteur semblent l'avoir bien compris, elles qui réclament des formations en comptabilité, en administration, en gestion du troupeau, etc., donc particulièrement dans les secteurs dont elles s'occupent et d'où elles risquent d'être évacuées si on ne leur fournit pas les formations nécessaires.

Cette conscience des femmes face à leurs besoins de formation, ne semble pas s'accompagner d'exigences similaires en ce qui regarde leur participation aux organismes formels de prise de décisions. Leur absence de ces organismes qui orientent, pour une bonne part, le devenir de l'agriculture au Québec risque, comme le souligne l'auteure, d'avoir des conséquences graves. Se fier uniquement au pouvoir d'influence qu'elles exercent auprès de leur conjoint, est-ce suffisant ? Il leur appartient de répondre. Qu'il me suffise ici de mentionner que je partage là-dessus les inquiétudes de Suzanne Dion.

Enfin, je souhaite que les attentes des travailleuses de l'agriculture ne soient pas déçues : attentes de partage de la gestion, attentes de formation adéquate et pertinente, attentes d'une reconnaissance, d'une visibilité de leur contribution, toutes demandes exprimées dans un climat d'amour de leur vie et de leur métier.

Michèle Jean
Le 25 novembre 1982

AVANT-PROPOS

Une bonne vie est celle au cours de laquelle aucune partie de nous-mêmes n'est étouffée, niée ou autorisée à opprimer une autre partie du moi, au cours de laquelle l'être tout entier a de la place pour s'épanouir. Mais cette place coûte quelque chose ; tout coûte quelque chose, et, quoique nous choisissions, nous ne sommes jamais heureux de payer.

Marilyn French

Depuis quelques années, mon travail m'amène à observer le milieu de l'agriculture. Aux diverses rencontres, réunions, colloques et congrès auxquels j'ai assisté, le plus souvent comme observatrice, il y avait, et il y a toujours, très peu de femmes. J'étais parfois la seule, mais cela m'est arrivé pour la dernière fois il y a trois ans.

Au début, je n'ai pas fait d'efforts particuliers pour rencontrer les femmes. Comme tous les autres, — vendeurs, fonctionnaires, représentants d'organismes — lorsque je téléphonais dans une exploitation, je demandais à parler à « Monsieur » et cela, même si « Madame » au bout du fil en savait sûrement aussi long que son mari.

Bien sûr, chaque fois que des femmes qui avaient des projets m'ont demandé des renseignements, un coup de main, une collaboration, j'ai été heureuse de les fournir. Mais si on me référait Monsieur Untel qui avait une exploitation intéressante au plan de la gestion ou Monsieur Machin qui expérimentait une technique nouvelle, c'est à eux que je voulais parler. Pour moi, si Madame en savait autant ou davantage, c'était à elle de le démontrer.

Les « femmes d'agriculteurs », je les voyais avec leur mari au Congrès de l'UPA (Union des producteurs agricoles), le jour du banquet. Elles assistaient peu aux délibérations.

Mais, d'année en année, elles sont venues plus nombreuses pour observer les ateliers et les plénières du Congrès. Elles en sont venues à faire des demandes et, parallèlement au programme officiel du Congrès, elles se sont réunies en grand nombre pour parler d'elles et prendre des informations pour éclairer leur situation.

En novembre 1980, alors qu'on m'avait demandé de participer à la préparation de l'atelier des femmes au Congrès général de l'UPA du mois de décembre suivant, j'en suis arrivée à penser, avec Rosaline Désilets-Ledoux, Solange Gervais et Denise Blanchette, qui avaient la responsabilité de cet atelier, qu'aucune demande des femmes n'avait de chance de se réaliser tant que les organismes concernés, et les femmes elles-mêmes, ne sauraient pas plus précisément ce que l'ensemble des femmes qui travaillent en agriculture souhaitent. Ce jour-là, le moyen d'éclairer la question fut choisi spontanément. Il fallait entreprendre une enquête.

Ce travail-là m'intéressait parce que j'admirais de plus en plus les femmes — peu nombreuses certes — que je voyais dans les réunions et celles avec lesquelles j'avais l'occasion de discuter dans les exploitations. Ce que j'admirais ? D'abord leur grande efficacité dans le travail. Dans une réunion d'une heure et demie on pouvait faire un plan d'action pour l'année. Je n'observais pas toujours la même efficacité ailleurs... Ensuite, elles avaient beaucoup d'imagination — pour se débrouiller avec peu de moyens, entre autres — beaucoup de sérieux sans prétention, un professionnalisme dans des activités bénévoles, ou presque, du goût pour produire, pour réaliser.

Il y avait aussi quelque chose qui m'attristait dans ce que j'observais chez elles. Dans les réunions, même si c'était elles qui amenaient les idées essentielles des discussions, elles ne se sentaient jamais sûres d'elles et commençaient toujours leurs interventions par des : « Je ne sais pas si je me trompe, mais je pense que... », « Je ne connais pas bien cela, mais il me semble que... »

Enfin, ce travail m'intéressait parce qu'il y avait beaucoup de questions auxquelles personne n'avait de réponse : « Les femmes veulent-elles ou non être reconnues productrices ? », « Comment les femmes souhaitent-elles participer à l'UPA ? », « Quel est l'apport des femmes au secteur agricole ? »

J'ai donc entrepris ce projet qui a été une très belle expérience de collaboration. Il ne se serait jamais réalisé sans l'expérience, la perspicacité et les encouragements de Rosaline Désilets-Ledoux qui, depuis vingt ans, écoute et analyse ce que les femmes qui travaillent en agriculture expriment de leur vie.

Plusieurs autres personnes ont apporté leur collaboration. En fait, je ne crois pas qu'aucune de celles ou de ceux à qui j'ai dû demander une participation ne me l'ait refusée. Et, sauf pour le codage et le traitement informatique des données, personne n'a été payé. En cela, les travailleuses à l'enquête rejoignent les travailleuses de l'agriculture...

Pour ma part, j'ai beaucoup reçu de ce travail. Il m'a donné le privilège d'entrer en contact avec 2 116 femmes qui ont pris au moins une bonne heure pour décrire leur implication en agriculture et l'envoyer à *La Terre de chez nous*. Près de la moitié d'entre elles y avaient ajouté des commentaires pleins d'intelligence et, parfois aussi, de souffrance et de déception. « Merci de vous occuper de nous », ont écrit quelques-unes.

M'occuper d'elles à aussi été une façon de m'occuper de moi. La force des femmes qui travaillent en agriculture est communicative.

Suzanne Dion
Novembre 1982.

Suzanne Dion et Rosaline Désilets-Ledoux

Photo : Jacques Leduc

INTRODUCTION

Ce livre a été conçu à partir de données recueillies au printemps 1981 au moyen d'une enquête réalisée auprès des femmes du Québec qui travaillent en agriculture. Le questionnaire d'enquête, qui a franchi toutes les étapes du développement d'un questionnaire d'enquête scientifique, a été publié le 12 mars 1981 dans l'édition régulière de *La Terre de chez nous*,* hebdomadaire qui rejoint l'ensemble des familles rurales du Québec et est la propriété de l'Union des producteurs agricoles.

Exactement 2 116 questionnaires remplis furent retournés à *La Terre de chez nous*. De ces 2 116, 2 058 furent traités par informatique, 58 copies ayant été éliminées parce que incomplètes ou incohérentes. Les commentaires ajoutés par les répondantes furent aussi codés et analysés.

C'est donc à partir de ces données que le présent livre est conçu. S'y ajoutent, afin d'expliquer ce que l'enquête nous fait constater, des éléments qui viennent de la psychologie, des analyses féministes, de l'histoire, des tendances de l'économie. Enfin, je n'ai laissé de côté ni les observations que j'ai pu faire du milieu agricole pendant les huit dernières années, ni mon expérience personnelle de la condition féminine.

Ce questionnaire visait uniquement à définir le travail agricole des femmes et n'étudiait pas du tout leur travail domestique. Il avait pour but de préciser les caractéristiques socio-économiques des femmes qui travaillent en agriculture, d'évaluer leur apport à l'agriculture et de définir ce qu'elles veulent comme changement en agriculture. Le plan du livre est conçu pour répondre à ces trois questions.

Ce qui suit ne présente pas et n'analyse pas l'ensemble des résultats de l'enquête. Vous y trouverez ce qui m'a semblé le plus utile pour que les femmes qui travaillent en agriculture puissent se situer par rapport à leur milieu et pour que les femmes qui s'impliquent dans les organisations agricoles féminines puissent orienter leur action.

Dans les premiers chapitres, vous trouverez surtout les données de l'enquête ; dans les derniers, j'apporte mes commentaires personnels à la suite de l'analyse des résultats.

---

* Vous trouverez le questionnaire de l'enquête à la fin de ce livre.

1

«J'AIME BIEN LA PROFESSION DE MON MARI.»

DES FEMMES SATISFAITES

S'il est un résultat qui ressort clairement de l'enquête c'est celui-ci : **Les femmes qui travaillent en agriculture aiment l'agriculture.**

À la question : « Diriez-vous que vous êtes satisfaite ou insatisfaite de votre travail agricole présentement ? », les femmes ont exprimé un très haut niveau de satisfaction.

Très satisfaites   30 %
Plutôt satisfaites   56 %
Plutôt insatisfaites   10 %
Très insatisfaites   1 %

C'est très clair. Les femmes qui travaillent en agriculture ne sont pas des insatisfaites revendicatrices. Au contraire. Il serait intéressant de comparer ces résultats avec ceux d'autres groupes — hommes ou femmes — à qui on aurait posé la même question. Un tel taux de satisfaction ne doit pas se retrouver partout.

Les sujets de satisfaction ? Deux grands volets :
— l'amour de l'agriculture et de la qualité de vie en agriculture ;
— la possibilité de concilier les rôles de mère, d'épouse et de travailleuse.

Les sujets d'insatisfaction ? Il y en a deux aussi :
— les faibles avantages financiers qu'elles tirent personnellement de leur travail ;
— la surcharge de travail et la fatigue.

Voyons donc les sujets de satisfaction. L'agriculture permet aux femmes de travailler avec leur mari ; c'est leur plus important sujet de satisfaction. La relation mari-femme est présente partout dans la vie professionnelle des agricultrices : elle est à la fois source de satisfactions et d'insatisfactions professionnelles et elle est au centre des principaux souhaits de changement exprimés par les répondantes à l'enquête.

Qu'est-ce que la belle vie pour les femmes en agriculture ? C'est celle où une femme peut travailler avec son mari et ses enfants, en contact avec la nature, à construire une entreprise prospère que les fils pourront reprendre un jour.

MOI, JE SUIS FILLE DE CULTIVATEUR. J'AI ÉPOUSÉ UN CULTIVATEUR, J'AI ÉLEVÉ SIX ENFANTS. JE LES AMENAIS AVEC MOI À L'ÉTABLE, DANS LE CHAMP, ON ÉTAIT HEUREUX. AUJOURD'HUI, MES QUATRE GARÇONS ET UNE COMPAGNIE FORMÉE DEPUIS TROIS ANS M'ONT REMPLACÉE. J'EN SUIS ENCORE PLUS HEUREUSE.

Certaines parlent de travail passionnant, d'autres de leur amour des animaux, de la terre, ou de la possibilité d'apprendre toujours davantage. Certaines parlent de la variété des activités en agriculture, d'autres expriment leur satisfaction de ne pas avoir de patron... L'une d'elles explique ainsi sa satisfaction :

SUR UNE FERME, IL Y A DES VALEURS DE VIE QU'ON NE RETROUVE NULLE PART AILLEURS ET IL FAUT LE VIVRE POUR LE COMPRENDRE.

Pourquoi êtes-vous satisfaite ?

Parce que ça me permet de travailler avec mon mari	48 %
Parce que j'aime l'agriculture	46 %
Parce que je trouve une qualité de vie dans l'agriculture	42 %
Parce que je suis proche de mes enfants	22 %
Parce que c'est un domaine où je peux m'épanouir comme femme	22 %
Parce que je suis mon propre patron	21 %
Parce que c'est un domaine où je me sens compétente	19 %
Parce que je fais plaisir à mon mari	17 %
Parce que j'en tire des avantages financiers	11 %
Parce que je suis utile à la société	9 %

Photo : La Terre

Ce que les femmes trouvent en agriculture, c'est une qualité de vie où s'intègrent la vie de couple, la vie familiale ainsi qu'une possibilité de réaliser quelque chose de valorisant ; l'exploitation agricole unit à la fois le couple et la famille.

Il y a une condition pour que la triade femme, famille, exploitation agricole soit bien intégrée et amène ce haut niveau de satisfaction. Cette condition, elle est simple : il faut que dans cette triade la femme soit RECONNUE. Revoyons le mot « reconnaissance ». Il est présent partout. Il semble même être ce qui fait passer de la satisfaction à l'insatisfaction.

EN PLUS, J'AI UN MARI COMPRÉHENSIF QUI ME CONSIDÈRE COMME SA FEMME ET SA COLLABORATRICE. JE SUIS DONC SATISFAITE.

Comment expliquer que les femmes expriment si fort l'importance d'être reconnues et qu'elles expriment un si haut taux de satisfaction alors que peu d'entre elles le sont? Il est certain que la satisfaction s'exprime avec moins de réticences que l'insatisfaction. Par leurs commentaires on peut voir que si les femmes sont contentes de travailler en agriculture, les conditions dans lesquelles le travail se réalise ne les satisfont pas toujours.

Cette reconnaissance, qu'il leur est nécessaire d'obtenir de leur mari, elles l'attendent aussi de la société. Elles expriment, un peu sur la défensive, leur conviction de l'importance et de l'intérêt de leur profession afin que, de l'extérieur, on les considère. N'est-ce pas une étape pour en arriver à se « reconnaître » parfaitement soi-même? Lorsque cette condition est réalisée, elles sont prêtes à travailler beaucoup tant elles apprécient les avantages de leur métier.

MÊME SI LES HEURES DE TRAVAIL NE CORRESPONDENT PAS AU SALAIRE OBTENU, L'AGRICULTURE NOUS PERMET D'AVOIR UNE VIE ÉQUILIBRÉE, AU GOÛT DE NOTRE FAMILLE.

EN RÉSUMÉ, LA VIE EST PLUS DURE, MAIS PLUS BELLE QUE PARTOUT AILLEURS.

Le niveau de satisfaction des femmes s'accroît cependant quand les revenus de l'entreprise permettent l'aisance ou l'autonomie :

AUJOURD'HUI, JE FAIS DE L'HÉBERGEMENT À LA FERME ET J'AIME ÇA. JE SUIS PLUS INDÉPENDANTE CÔTÉ ARGENT ET ÇA ME FAIT APPRÉCIER TOUT CE QUE J'AI. LA VIE EST BELLE.

JE SUIS TRÈS FIÈRE D'ÊTRE FEMME D'AGRICULTEUR. POUR MOI ÊTRE RÉMUNÉRÉE, CE N'EST PAS IMPORTANT. J'AI TOUJOURS EU ASSEZ D'ARGENT POUR BIEN VIVRE ; AUJOURD'HUI, LA FERME NOUS PERMET DE SE PAYER DU LUXE, J'EN PROFITE AVEC MON MARI.

Ce beau tableau d'une femme entourée d'un mari et d'enfants aimants qui vit dans la nature, fait un travail qui lui permet de développer de multiples capacités, et tout cela dans une aisance matérielle enviable, existe. Il y a des femmes qui le vivent. Elles ont réussi à le construire. Conservera-t-il toujours ses belles couleurs? Est-il réalisable par toutes les femmes? L'évolution de l'agriculture ne viendra-t-elle pas mettre quelques vilaines taches là-dessus? Les choix qui se font actuellement ne peuvent-ils pas entraîner tout simplement la disparition des femmes dans ce paysage? En d'autres mots, ce que les femmes aiment dans l'agriculture va-t-il survivre aux changements qui se produisent actuellement? Maintenant que les femmes ont contribué à développer des entreprises prospères, seront-elles exclues de l'agriculture? Ces questions, nous nous les posons d'autant plus intensément que l'enquête a révélé que les femmes adorent l'agriculture, il ne faudrait donc pas qu'elles en soient exclues.

Photo : Jacques Leduc

Comment toutes celles pour qui le tableau n'est pas aussi rose peuvent-elles l'embellir ?

En décrivant la situation telle que les femmes nous l'ont exprimée et en essayant de comprendre ce qui se passe, nous espérons aider celles qui se préoccupent de ces questions à « voir aux intérêts » des femmes en agriculture. En effet, ce beau tableau, il appartient presque exclusivement à des hommes et ce, même dans la tête des femmes. Peu d'entre elles disent : « J'aime ma profession ». Elles disent plutôt : « J'aime la profession de mon mari. »

2

«QUI ÊTES-VOUS
MADAME ?»

MARIÉES ET MÈRES DE FAMILLE

La relation entre deux personnes et leur exploitation,
entre deux humains et la terre s'inscrit dans l'univers
cosmique, dans le cycle des saisons, la météorologie.
Cette relation est unique[1].

Les répondantes sont presque toutes mariées (95 %) et mères de famille (89 %). Une réalité ressort constamment de l'enquête : les femmes aiment l'agriculture parce que cela leur permet de travailler avec leur mari, elles veulent être reconnues productrices agricoles pour être leur égale. D'autre part, elles se privent de certains avantages parce qu'elles craignent de nuire à leur mari ou au développement de l'exploitation. Les femmes qui travaillent en agriculture n'ont pas, comme d'autres, une relation avec un homme et des relations de travail. Elles se trouvent à la pointe d'un triangle, les deux autres pointes étant le mari (la famille) et l'exploitation. Théoriquement, la situation est la même pour le mari.

Ne pas comprendre cette situation pourrait laisser croire, de l'extérieur, que les femmes du milieu rural manquent de cohérence ou de détermination. Il faut plutôt voir comment cette situation rend les changements plus complexes. Dans leurs choix, dans leurs décisions, les femmes tiennent toujours compte de cette double relation.

Cette situation a aussi une influence marquante sur leurs conditions de travail. Leurs tâches domestiques et leurs tâches agricoles se réalisent dans les mêmes lieux et s'interpénètrent quotidiennement. Les conflits entre les rôles professionnels et familiaux sont plus facilement résolus, on peut toujours amener le bébé à l'étable. Mais rien n'est jamais fini et souvent, plusieurs tâches se font en même temps. D'où la fatigue et, parfois aussi, l'épuisement. D'où une plus grande difficulté à faire reconnaître le travail professionnel, étant donné qu'il se réalise en même temps qu'un autre travail considéré, lui, comme « naturel ».

ELLES ONT D'ELLES-MÊMES UNE IMAGE DÉVALORISANTE

Une autre caractéristique qui ressort clairement de l'enquête ainsi que des observations que j'ai faites par ailleurs — et cette caractéristique est bien féminine — c'est que les femmes en milieu rural ont d'elles-mêmes une image fort dévalorisante. Et cela est encore plus fort chez les femmes de plus de 40 ans.

1. Martine Segalen, *Mari et femme dans la société paysanne*, Flammarion, Paris, 1980.

Si les femmes, à juste titre, indiquent le rôle important qu'elles jouent en agriculture, à la fois au plan du travail, du financement et du soutien apporté à l'époux, elles se définissent presque toujours comme aides et non comme égales dans cette œuvre collective qu'est une entreprise agricole familiale.

TOUT CE QUE JE PEUX FAIRE POUR AIDER MON MARI, JE LE FAIS.

JE SUIS CONTRE QUE LA FEMME S'IMPLIQUE EN AGRICULTURE, SAUF POUR AIDER SON MARI DANS LES GROS TRAVAUX.

LE JEUNE DEVRA SE TROUVER UNE FEMME QUI SAURA L'ENCOURAGER ET LE SECONDER DANS SON TRAVAIL.

SI LES GENS ONT RÉUSSI DANS LA CLASSE AGRICOLE, C'EST QU'ILS AVAIENT UNE COMPAGNE QUI, CHAQUE ANNÉE, TRAVAILLAIT SANS RELÂCHE ET DE GRAND CŒUR POUR ARRIVER À JOINDRE LES DEUX BOUTS, SANS TROP D'EXIGENCES ENVERS SON CONJOINT.

Elles s'excusent aussi de ne pas en faire plus.

COMME MA SANTÉ N'EST PLUS BONNE, MON TRAVAIL À LA MAISON PREND TOUTE MON ÉNERGIE.

JE N'AI PAS FAIT LES FOINS MAIS J'AI TRAIT LES VACHES, MÊME AVEC MES BÉBÉS DANS LE CAROSSE.

MOI, J'AIMERAIS PARTICIPER PLUS DANS L'ENTREPRISE DE MON MARI, MAIS AVEC UNE SANTÉ FRAGILE (UNE OPÉRATION DU CŒUR) JE DOIS ME LIMITER AUX TRAVAUX DE COMPTABILITÉ, AU NETTOYAGE DE LA LAITERIE ET DE L'ÉTABLE, À LA TRANSFORMATION DES PRODUITS DE L'ÉRABLE.

Le printemps dernier, à un atelier organisé pour les femmes qui accompagnaient leur mari à l'assemblée annuelle de l'Office des producteurs de lait, plusieurs femmes expliquaient qu'elles ne s'estimaient pas compétentes pour participer aux délibérations : « Les jeunes qui vont dans les écoles d'agriculture, elles vont être capables de participer à ces réunions-là. Nous, on est trop vieilles », disait une femme dans la quarantaine.

Alors que mon but était tout autre, j'appris que les femmes qui avaient écouté mon exposé s'étaient senties coupables de ne pas s'impliquer davantage dans le syndicalisme. Coupables et incompétentes. Peu nombreuses sont celles qui réussissent à sortir de cette triste conjoncture. Une analyse des 133 commentaires faits par les répondantes en ce qui concerne l'image de soi nous donne des renseignements plus précis à ce sujet.

Nous avions fait attention, au moment de l'élaboration du questionnaire à ce qu'aucune des questions de l'enquête ne comporte un jugement. Par exemple, nous ne disions pas qu'il valait mieux être payée que de ne pas l'être, nous demandions plutôt : « Êtes-vous payée pour le travail que vous faites dans l'entreprise ? » et « Est-ce que le fait d'être payée ou pas a de l'importance pour vous ? » Il a donc été surprenant de recevoir des commentaires de justification où, par exemple, des femmes qui possèdent l'entreprise à cinquante pour cent écrivent : « Je ne vois pas pourquoi je demanderais un salaire à mon mari. »

Une autre femme écrivait, comme si le questionnaire portait le message qu'il fallait absolument qu'il y ait des changements :

> *QUE LES FEMMES QUI SONT SATISFAITES DE LEUR SITUA-*
> *TION PRÉSENTE NE SE CROIENT PAS OBLIGÉES DE SUIVRE*
> *LES AUTRES OU QU'ELLES NE SOIENT PAS MISES À PART.*
> *C'EST UNE QUESTION DE CHOIX.*

On trouvait aussi un autre type de justification, plus décevant celui-là pour celles qui avaient rédigé le questionnaire. Plusieurs femmes expliquaient pourquoi elles n'étaient pas davantage impliquées dans l'exploitation comme si le questionnaire montrait qu'elles se devaient d'être impliquées en agriculture. Or, l'enquête était loin d'avoir comme but de faire peser, sur des femmes déjà surchargées de travail, un devoir de plus. Une femme d'agriculteur n'est pas obligée d'être agricultrice.

De quelle manière avions-nous attaqué pour susciter pareilles défenses ?

L'enquête portait exclusivement sur le travail agricole et non sur le travail ménager que les femmes considèrent — avec raison d'ailleurs — comme une partie de leur production et qui est intimement lié à leur travail agricole. Nous avions décidé de ne pas considérer le travail ménager dans l'enquête, d'abord parce qu'il fallait se limiter et aussi parce que nous avions pour but de montrer l'apport des femmes à l'agriculture. Nous voulions définir la part de leur travail qui est considéré comme une production économique. Or, le travail ménager, bien qu'ayant une immense valeur économique, est rarement considéré comme tel et notre but n'était pas d'éclairer cette problématique. Mais, en faisant ce choix, *nous ne reconnaissions pas* le travail ménager. C'est en soi offensant. C'est une attaque que nous avons faite sans le vouloir. Il y en avait une autre.

Les soixante questions de l'enquête étaient adressées aux femmes elles-mêmes. Elles avaient à y décrire leur situation à elles, leurs goûts à elles, leurs souhaits à elles, leurs satisfactions, leurs insatisfactions. Nous ne leur demandions pas ce que leurs enfants pensaient d'elles, ce que leur mari attendait d'elles ou comment la société les évaluait. Au contraire, remplir le questionnaire les amenait plutôt à réfléchir sur ce qu'elles pensaient d'elles-mêmes.

Si l'on regarde les commentaires que, spontanément, les femmes ont écrits au sujet de l'image qu'elles ont d'elles-mêmes, des phrases comme celles-ci me frappent :

> *LES FEMMES SONT TRÈS IMPORTANTES EN AGRICULTURE, PLUSIEURS FERMES SERAIENT À VENDRE SI LES FEMMES DÉCIDAIENT DE NE PLUS TRAVAILLER AVEC LEUR MARI SUR LA FERME.*

> *LA FEMME DOIT AIDER SON MARI SI ELLE VEUT LUI DONNER LA FORCE DE PERCER ET DE PERSISTER POUR ARRIVER AU SUCCÈS DE L'ENTREPRISE. C'EST LA FEMME QUI FERA DE L'ENTREPRISE DE SON MARI UN ÉNORME SUCCÈS.*

> *QUAND LE MARI TOMBE MALADE, IL EST CONTENT QUE SA FEMME LE REMPLACE À L'ÉTABLE, À LA PORCHERIE OU AU POULAILLER, ÇA L'AIDE À REMONTER LA PENTE.*

> *JE SUIS UNE FEMME LIBÉRÉE DE TOUT ESCLAVAGE, LIBÉ-RÉE DE MES CAPRICES, ÉVEILLÉE AUX BESOINS DES AUTRES.*

> *QUANT À MOI, JE RESTE À LA MAISON, JE FAIS BEAUCOUP DE COUTURE, JE PRÉPARE DE BONS REPAS, J'ÉCOUTE MON MARI ME PARLER DE SON TRAVAIL ET VEILLE À L'ÉCONOMIE DU FOYER. CELA PERMET PROBABLEMENT À L'ENTREPRISE D'INVESTIR DAVANTAGE.*

Photo : La Terre

LE PLUS IMPORTANT EST QUE LA FEMME COLLABORATRICE DE SON MARI L'AIDE DANS LES TRAVAUX DES CHAMPS, MAIS NE PRENNE PAS LA PLACE DE L'HOMME PARTOUT. IL Y AURAIT MOINS DE DIVORCE SI LA FEMME N'EN DEMANDAIT PAS TANT.

Les femmes qui travaillent en agriculture, comme la plupart des femmes, ont tendance à se définir par les besoins des autres. Ici, ce sont les besoins du mari et ceux de l'entreprise. Alors notre questionnaire faisait choc par le fait qu'il demandait aux femmes de se définir elles-mêmes et ne faisait pas état des besoins des autres.

Il est bien possible que ce soit pour cela qu'elles ont trouvé nécessaire de souligner leur importance à un titre ou à un autre et de justifier leurs positions. C'est que nous leur avons dit : « Qui êtes-vous, madame ? » plutôt que de leur demander : « Vous êtes madame qui ? » Changer la façon de se voir, voilà qui ébranle beaucoup de choses.

DES FEMMES NON RECONNUES

JE NE SAIS PLUS QUOI PENSER, AVEC CES HISTOIRES DE LIBÉRATION DE LA FEMME. VOULOIR SE FAIRE RECONNAÎ-TRE ÇA VEUT DIRE QUE NOUS SOUHAITONS QUE NOS MARIS NOUS DISENT PLUS SOUVENT QU'ILS ONT RÉUSSI GRÂCE À NOTRE SOUTIEN.

Dans un très beau livre qui a pour titre *Les enfants de Jocaste*, Christiane Olivier démontre que, dans les premières années de la vie, la relation que les petites filles ont avec leur mère et avec leur père amène les femmes à rechercher continuellement l'approbation, la reconnaissance des hommes et que ceux-ci, encore à cause des mêmes relations dans leur jeune âge, n'ont pas du tout envie de leur donner cette approbation.

Or, l'enquête montre que si les femmes veulent être reconnues productrices agricoles c'est d'abord pour créer une relation égalitaire avec leur mari, pour être reconnues par lui. Dans un deuxième temps, elles souhaitent être reconnues par la société. Cette reconnaissance, les femmes doivent souvent se la donner elles-mêmes. C'est peut-être l'explication de phrases telles que :

JE TROUVE QU'UNE FEMME DE CULTIVATEUR CONTRIBUE AU MÊME TRAVAIL QUE SON MARI SUR LA FERME.

ALORS, L'ÉPOUSE C'EST IMPORTANT DANS UNE FERME.

JE REMARQUE QUE MES CONSEILS AIDENT MON MARI.

LA FEMME NE TRAVAILLE PEUT-ÊTRE PAS AVEC UNE GRAN-DE FORCE PHYSIQUE MAIS ELLE FAIT BEAUCOUP DE PETITES CHOSES.

JE NE VEUX PAS ME VANTER, MAIS ON NE SERAIT SÛREMENT PLUS EN AGRICULTURE SI JE NE L'AVAIS PAS ENCOURAGÉ ET N'AVAIS PAS TRAVAILLÉ AVEC LUI. JE NE FAIS PAS LE TRA-VAIL D'UN HOMME, MAIS CELUI D'UN BON AIDE.

On pourrait être tenté de répondre à cette dernière : « Mais non Madame, vous ne vous vantez pas. On peut même soupçonner que vous vous dépréciez. Le problème c'est qu'on ne vous vante pas assez. La société ne vous reconnaît pas et personne ne sait ce que serait la situation si vous n'y étiez pas. Vous y êtes toujours. Une maison propre, on ne remarque pas ça. C'est une maison sale qu'on remarque.» Et il n'y a pas que la société et les maris pour ne pas reconnaître les femmes :

APRÈS AVOIR LAISSÉ LES MEILLEURES ANNÉES DE NOTRE VIE ET NOTRE SANTÉ, LES JEUNES POUSSENT ET NOUS RETOURNENT, NOUS LES MÈRES, À NOS TRAVAUX DOMESTI-QUES.

Ce sont parfois des circonstances dramatiques qui permettent aux femmes d'être reconnues :

J'AIME CE MÉTIER. JE DOIS AVOUER QUE JE METS BEAUCOUP D'ARDEUR AU TRAVAIL PARCE QUE C'EST MA FERME, MON ENTREPRISE. JE SUIS UNE FEMME AGRICULTEUR DEPUIS SIX ANS. AVANT LE DÉCÈS DE MON MARI, J'EN FAISAIS PRESQUE AUTANT ET ON ME DISAIT : « TON MARI RÉUSSIT BIEN, HEIN. » AUJOURD'HUI, JE CONTINUE LA MÊME CHOSE, JE BÉNÉFICIE DE TOUS LES AVANTAGES AU PLAN FISCA-LITÉ ET J'AI LES COMPLIMENTS EN PLUS... C'EST RIDICULE.

Il y a aussi quelques femmes qui se définissent sans relation de subordination au mari. Comme toutes les femmes, elles sont exi-geantes pour les autres femmes. Ces exigences ressemblent à un appel :

EN TANT QUE FEMME EN AGRICULTURE, JE ME SUIS IMPLI-QUÉE TRÈS TÔT ET J'AI PRIS CONSCIENCE DE MA SITUATION. JE VOUDRAIS QUE LES AUTRES FEMMES SE GROUILLENT UN PEU PLUS. AINSI LA FEMME SE SENTIRAIT BEAUCOUP PLUS À L'AISE DANS UNE PROFESSION D'HOMME.

UN GROUPE DIVERSIFIÉ

L'enquête a rejoint des femmes de tous les âges, de toutes les productions, de toutes les régions : des femmes reconnues productri-ces, des femmes propriétaires de l'entreprise, des femmes salariées, des femmes issues du milieu agricole et d'autres qui venaient d'ail-leurs. Ces différences sociologiques amènent des visions, des attitu-des et des comportements différents.

Les différences régionales ne sont pas apparues très tranchées et l'on peut dire que l'ensemble des résultats de l'enquête s'applique, à peu de chose près, à l'ensemble des régions.

Mais les comportements, les souhaits de changements sont très différents d'un groupe d'âge à un autre et nous décrirons plus loin ces différences comme nous identifierons les particularités des femmes reconnues productrices agricoles.

On peut voir dans les tableaux qui suivent les caractéristiques socio-économiques des répondantes. Bien que l'enquête ait rejoint suffisamment de femmes de chacune des régions pour être représentative, notons que trois régions sont légèrement sur-représentées. Il s'agit de l'Abitibi-Témiscamingue, du Bas St-Laurent et de Nicolet. Trois autres régions sont légèrement sous-représentées : les Laurentides-Outaouais, St-Hyacinthe et St-Jean-Valleyfield. Dans le tableau qui suit, vous trouverez d'abord la distribution des répondantes à l'enquête et ensuite la distribution régionale de l'ensemble des producteurs. L'enquête s'avère, somme toute, très représentative.

Répartition des répondantes selon les régions

Régions	% des répondantes	% de producteurs (hommes et femmes)
Abitibi-Témiscamingue	4 %	2,8 %
Bas St-Laurent	9 %	5,9 %
Côte-du-Sud	3 %	3,9 %
Gaspésie - Îles de la Madeleine	1 %	1,7 %
Lanaudière (Joliette)	7 %	6,5 %
Laurentides-Outaouais	6 %	9,3 %
Mauricie	4 %	4,4 %
Nicolet	12 %	9,5 %
Québec (est-nord-ouest)	12 %	13,0 %
Beauce	8 %	7,7 %
Saguenay - Lac St-Jean	5 %	4,2 %
St-Hyacinthe	11 %	13,0 %
St-Jean - Valleyfield	6 %	9,5 %
Sherbrooke (Estrie)	10 %	8,5 %

Photo : La Terre

Des femmes de tous les âges ont accepté de répondre à nos questions. Certains groupes sont naturellement plus présents que d'autres. Le fait principal à noter c'est que ce sont surtout les femmes en âge d'être actives en agriculture qui ont mis le plus de poids. Ainsi, 7,3 % des répondantes ont entre 15 et 24 ans ; 51 % entre 25 et 39 ans ; 35 % entre 40 et 54 ans et, enfin, 6 % ont plus de 55 ans.

Répartition des répondantes selon les groupes d'âge

Entre 15 et 19 ans	0,3 %	
Entre 20 et 24 ans	7 %	7,3 %
Entre 25 et 29 ans	16 %	
Entre 30 et 34 ans	18 %	51 %
Entre 35 et 39 ans	17 %	
Entre 40 et 44 ans	15 %	
Entre 45 et 49 ans	10 %	35 %
Entre 50 et 54 ans	10 %	
Entre 55 et 59 ans	4 %	
60 ans et plus	2 %	6 %

Les répondantes sont aussi assez bien réparties en fonction des principales productions agricoles québécoises. Nous avions demandé quelle était la principale production sur la ferme. Pour 1 302 répondantes (62,3 %) c'est le lait ; personne ne sera surpris. Suivent par ordre d'importance : le porc, 157 répondantes (7,5 %) ; le boeuf, 150 répondantes (7,2 %) ; les cultures commerciales, 96 répondantes (4,6 %) ; les fruits et légumes, 93 répondantes (4,4 %). Un grand nombre d'autres productions sont représentées dans la faible proportion où on les retrouve au Québec.

Quelle est la production principale de l'entreprise ?

Production	Nombre des répondantes	%
Bois	40	1,9 %
Lait	1 302	62,3 %
Oeufs	31	1,5 %
Volailles	26	1,2 %
Pommes de terre	31	1,5 %
Porcs	157	7,5 %
Sucre et sirop d'érable	37	1,8 %
Pommes	12	0,6 %
Cultures commerciales/céréales	96	4,6 %
Boeuf de boucherie	150	7,2 %
Fruits et légumes	93	4,4 %
Produits de l'élevage ovin	42	2,0 %
Produits de l'élevage caprin	14	0,7 %
Lapins	10	0,5 %
Autres	50	2,4 %
	2 091	100 %

Nous avons aussi des renseignements précis sur le niveau de scolarité des femmes qui travaillent en agriculture. En comparant les renseignements que nous avons recueillis avec ceux de Statistique Canada cités dans le Rapport Jean[2], on se rend compte que les niveaux de scolarisation des répondantes à l'enquête sont très proches des niveaux d'instruction de la population active du Québec. Nous n'avons pas pu vérifier si la situation traditionnelle où les femmes du milieu rural étaient plus instruites que les hommes prévaut encore de nos jours.

Niveau de scolarité des répondantes

	% des femmes en agriculture		% de la population active du Québec
Primaire commencé mais non terminé	4 %	20 %	20,8 %
Primaire terminé	16 %		
Secondaire commencé mais non terminé	22 %	48 %	49,8 %
Secondaire terminé	26 %		
Collégial commencé mais non terminé ou l'équivalent	6 %	22 %	19,3 %
Collégial terminé ou l'équivalent	16 %		
Universitaire commencé mais non terminé	3 %	8 %	9,9 %
Universitaire terminé	5 %		
Pas de réponse	2 %		

Les femmes en agriculture qui parfois vont travailler pendant plus de trente ans dans une entreprise qui appartient à leur mari optent en majorité (58 %), au moment de leur mariage, pour le régime de la séparation de biens. Si les très jeunes choisissent la société d'acquêts, qui a remplacé la communauté de biens comme régime légal en 1970, les deux tiers des femmes ayant entre 20 et 44 ans sont mariées en séparation de biens. Après 45 ans, c'est le régime de la communauté de biens qui devient prépondérant.

S'il ne garantit ni la cogestion, ni l'accès aux revenus, le régime de la communauté de biens garantit davantage le partage des biens que le régime de la séparation de biens dont on dit qu'il protège les

2. Commission d'étude sur la formation des adultes, *Apprendre : une action volontaire et responsable,* Montréal, 1982.

biens de la femme. Il ne sert souvent pas à grand-chose, étant donné que dans la majorité des cas elles n'ont pas, ou peu, de biens. Cependant, il peut permettre plus d'autonomie et faciliter aux femmes l'accès à des entreprises en société. La brochure de l'Association des femmes collaboratrices *Quand le cœur et la tête sont en affaires* et des publications du Conseil du statut de la femme expliquent les avantages et les inconvénients de chacun des régimes. Je vous y réfère.

Parmi les répondantes 69 % sont filles d'agriculteurs et 31 % proviennent d'un autre milieu que le secteur agricole. Cette proportion varie beaucoup avec l'âge et montre que les femmes originaires du milieu urbain sont de plus en plus nombreuses en agriculture.

Avant de travailler en agriculture, 78 % des répondantes ont exercé un autre métier. Elles ont été enseignantes, secrétaires, ouvrières, femmes de ménage, caissières, serveuses ou encore infirmières et 15 % d'entre elles ont conservé une activité professionnelle en dehors de l'entreprise agricole. Les trois occupations les plus fréquentes, qu'elles exercent en même temps que l'agriculture, sont enseignante, secrétaire et infirmière. Ces tâches sont-elles davantage compatibles avec les responsabilités agricoles et familiales ? Ces professions sont-elles suffisamment rémunératrices pour qu'il vaille la peine de les garder, en particulier pour permettre des investissements dans l'entreprise ? Ces métiers comportent-ils plus d'avantages pour les femmes elles-mêmes, à la fois au plan financier et au plan de l'épanouissement personnel, que l'agriculture ? Toutes ces explications sont possibles. Nous n'avons pas de réponses à ce sujet. Nous savons cependant que les autres métiers ont été délaissés.

De plus, il ressort clairement de l'enquête que ce sont surtout les femmes entre 25 et 40 ans qui ont une expérience professionnelle autre que l'agriculture. Le choix entre l'agriculture et une autre profession leur est plus accessible.

Statut des répondantes

Propriétaire unique	72	3,5 %
Actionnaire ou sociétaire	360	17,7 %
Salariée	107	5,3 %
Collaboratrice	1 490	73,2 %
Retraitée	7	0,3 %
	2 036	100 %

En ce qui concerne le statut des femmes sur les fermes du Québec, peu d'information, sinon aucune, n'existait. Cette enquête nous fournit une information que nous pouvons juger comme représentative si on la compare à la qualité des autres informations que nous avons pu obtenir.

Au Québec, 3,5 % des femmes agricultrices sont propriétaires uniques de leur entreprise ; 17,7 % sont sociétaires ou actionnaires, la plupart du temps avec leur mari ; 5,3 % sont salariées, dans la plupart des cas, d'une entreprise appartenant au mari ; 73,2 % sont collaboratrices et 0,3 % des répondantes sont retraitées.

3

QUE FONT LES FEMMES
EN AGRICULTURE ?

L'apport des femmes à l'agriculture du Québec est peu connu. Tout le monde sait qu'elles travaillent souvent sur les exploitations, mais quelle est l'importance de ce travail ? Correspond-t-il à un échange de services entre époux ? Est-ce un travail de manœuvre, de travailleur spécialisé ou de gestionnaire ?

ELLES APPORTENT DU CAPITAL

Les femmes investissent en agriculture : 42 % des répondantes à l'enquête ont investi de leur argent dans l'entreprise. Cet argent provient le plus souvent d'un salaire reçu en dehors de l'entreprise (surtout pour les moins de 40 ans), d'économies réalisées avant le mariage (surtout pour les plus de 40 ans) ou, plus rarement, d'un héritage ou d'un salaire reçu dans l'entreprise.

Par contre, si 42 % des femmes ont investi, seulement 21 % sont propriétaires, actionnaires ou sociétaires. Les autres n'ont pas fait reconnaître — tiens ! encore ce mot — leur apport.

ELLES APPORTENT DU TEMPS DE TRAVAIL

La surcharge de travail est l'un des plus importants sujets d'insatisfaction des agricultrices. Cela est dû au fait que la période où les femmes mettent au monde leurs enfants correspond le plus souvent à la période où l'entreprise s'organise. Comme il y a de gros investissements à faire sur l'entreprise, peu d'argent est utilisé pour améliorer le confort à la maison ou pour engager de la main-d'œuvre de l'extérieur. Comme les enfants sont encore petits, c'est la femme — et aussi l'homme — qui font des doubles journées. On voit même de plus en plus de femmes qui ont trois occupations : elles sont ménagères et mères de famille, elles travaillent à la ferme et elles ont un emploi à l'extérieur dont le salaire est investi sur la ferme ! C'est la double, voire la triple journée de travail.

NOUS SOMMES PRIS TOUS LES DEUX, SEPT JOURS PAR SE-MAINE. À CINQUANTE-CINQ ANS NOUS SOMMES FINIS, BRÛ-LÉS TOUS LES DEUX.

LA FEMME EST SOUVENT OBLIGÉE D'ATTENDRE LES AMÉ-LIORATIONS À SON TRAVAIL DE MAISON (LAVE-VAISSELLE, MACHINES AUTOMATIQUES) ET ELLE EN A BESOIN POUR SE PERMETTRE D'ALLER TRAVAILLER SUR LA FERME. PRATI-QUEMENT TOUT L'ARGENT EST INVESTI DANS L'ENTREPRI-SE. ÇA DEVIENT DÉCOURAGEANT POUR CES FEMMES QUI TRAVAILLENT, MAIS EN ONT MOINS QUE D'AUTRES QUI NE TRAVAILLENT PAS ET RESTENT À LA MAISON À TEMPS PLEIN.

PAR CONTRE, LES FEMMES COMPRENNENT LA NÉCESSITÉ DE BIEN ASSEOIR LA RENTABILITÉ DE LA FERME, PUISQUE C'EST LEUR GAGNE-PAIN.

IL FAUT SE TRAÎNER, ENCEINTE, À FAIRE LA TRAITE.

AUJOURD'HUI, JE SOUHAITERAIS QUINZE JOURS DE VACANCES PAYÉES, OÙ JE POURRAIS ENFIN ME REPOSER. JE NE SOUHAITE À PERSONNE D'AVOIR À TRAVAILLER AUTANT POUR RÉUSSIR À JOINDRE LES DEUX BOUTS.

Malgré leur amour du métier, on sent souvent l'épuisement dans les commentaires des femmes ; et cet épuisement les éloigne des prises de décisions.

Nous avons comptabilisé les heures de travail des répondantes selon les saisons. Les tableaux nous montrent que plus du tiers des répondantes travaillent plus de 30 heures par semaine au printemps (35 %) et à l'automne (36 %). L'été, c'est la moitié des femmes (51 %) qui travaillent plus de 30 heures. Dans d'autres professions, cela serait considéré comme du travail à temps plein.

Quelles que soient les saisons, près du tiers des répondantes fournissent presque toujours entre 16 et 30 heures de travail à l'entreprise. Ce travail, qu'on assimilerait ailleurs à du travail à temps partiel, qui se répète pendant des années, constitue aussi un apport immense à l'agriculture.

Ces heures de travail sont trop importantes pour que nous puissions les assimiler à des échanges de services entre époux. Pour vérifier cela, nous avions demandé quelques questions qui pouvaient décrire la « collaboration » des maris aux tâches domestiques et familiales des femmes.

Il est curieux de voir comment les questions portant sur ces thèmes sont souvent restées sans réponse dans l'enquête. Chaque femme y apportera son interprétation. Mais faisons le tour des réponses reçues. Peu de maris s'occupent régulièrement des repas, de l'entretien de la maison ou de la vaisselle ; la proportion ne dépasse pas 15 %... qui le font de temps à autre. La très grande majorité ne le fait à peu près jamais. Pour ce qui est de s'occuper des enfants, la proportion augmente quelque peu : 17 % des maris s'occupent de temps à autre des soins aux jeunes enfants ; 12 % aident les enfants à faire leurs devoirs ou vont aux réunions de parents et 36 % prennent les enfants en charge pendant certaines périodes pour permettre aux femmes de faire une activité personnelle. Ils sont plus disposés à faire les achats et commissions pour la maison, activité qui les amène naturellement à sortir !

LE PRINTEMPS

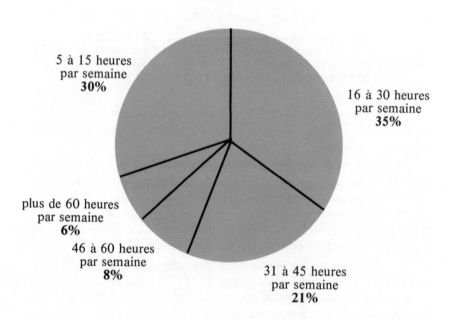

5 à 15 heures
par semaine
30%

16 à 30 heures
par semaine
35%

plus de 60 heures
par semaine
6%

46 à 60 heures
par semaine
8%

31 à 45 heures
par semaine
21%

L'ÉTÉ

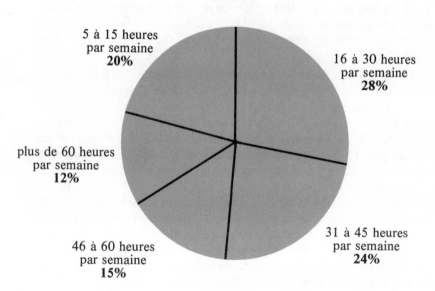

5 à 15 heures
par semaine
20%

16 à 30 heures
par semaine
28%

plus de 60 heures
par semaine
12%

31 à 45 heures
par semaine
24%

46 à 60 heures
par semaine
15%

L'AUTOMNE

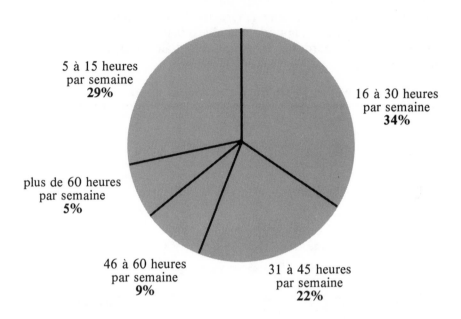

5 à 15 heures
par semaine
29%

16 à 30 heures
par semaine
34%

plus de 60 heures
par semaine
5%

46 à 60 heures
par semaine
9%

31 à 45 heures
par semaine
22%

L'HIVER

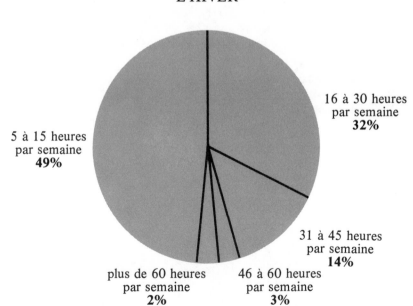

16 à 30 heures
par semaine
32%

5 à 15 heures
par semaine
49%

31 à 45 heures
par semaine
14%

plus de 60 heures
par semaine
2%

46 à 60 heures
par semaine
3%

Les femmes, qui fournissent à l'agriculture ces heures de travail considérables, sont presque toutes mariées, 89 % sont mères de famille. L'aide aux travaux domestiques est rare. Il est maintenant exceptionnel qu'une parente (mère, belle-mère) habite avec le couple d'agriculteurs et apporte une aide à la jeune mère de famille. Les services de garderie et d'aide familiale sont à peu près inexistants.

Est-ce que votre mari collabore aux tâches domestiques ?

	Souvent ou une fois sur deux	Rarement ou jamais	Sans réponse
Préparation des repas	10 %	63 %	27 %
Entretien de la maison	8 %	63 %	28 %
Lavage de la vaisselle	15 %	56 %	29 %
Soins aux jeunes enfants (couches et biberons)	17 %	34 %	50 %
Achats et commissions pour la maison	32 %	37 %	31 %
Aide aux enfants dans leurs travaux scolaires	12 %	38 %	50 %
Participation aux réunions de parents à l'école	12 %	38 %	51 %
Prise en charge des enfants pendant certaines périodes pour permettre aux femmes de faire une activité personnelle	36 %	25 %	40 %

Quelles tâches accomplissent les femmes sur les exploitations* ?

Travaux aux bâtiments et avec les animaux

Nettoyage (laiterie)	48 %
Soins aux animaux et volailles	48 %
Traite	41 %
Entretien des bâtiments de ferme	34 %
Écurage (étable, porcherie, poulailler)	20 %

Travaux aux champs et de transformation

Entretien de l'environnement de la ferme	44 %
Travaux des champs	41 %
Travail à l'érablière	10 %
Travail de serre	10 %
Transformation de produits (fabrication de fromage, travail de la laine, fabrication de produits de l'érable, extraction du miel, etc.)	6 %
Travaux mécaniques	4 %

* On trouvera en annexe des tableaux montrant le nombre d'heures consacrées à chacune de ces tâches. Deux questions différentes allaient chercher ces informations dans l'enquête. Les données présentées ici sont les plus faibles. La réalité se situe certainement en ajoutant à ces chiffres de 5 % à 15 %.

Travaux administratifs	
Comptabilité	63 %
Recherche (lire, s'informer, chercher des renseignements nécessaires aux opérations de la ferme)	39 %
Accueil (agir comme réceptionniste pour les fournisseurs, les acheteurs)	34 %
Commissions	32 %
Réalisation des achats	18 %
Réalisation des ventes	18 %
Représentation (représenter l'entreprise au syndicat de gestion, à l'UPA, à la coopérative, dans d'autres organismes professionnels)	10 %
Supervision du travail des employés (répartition des tâches, vérification du travail, etc.)	9 %
Hébergement à la ferme	6 %
Empaquetage et classification de produits	6 %
Transport d'animaux, de fruits, de légumes, etc.	6 %

Les tâches effectuées par les femmes sont donc diversifiées. Cependant, il y a des spécialités féminines : la comptabilité, le nettoyage de la laiterie, les soins aux animaux, la traite, l'entretien de l'environnement de la ferme. De façon générale, les femmes fournissent beaucoup de travail technique, moins de travail de gestion.

Bien qu'il existe des femmes qui sont ou agissent en tant que gestionnaires d'une partie ou de la totalité d'une entreprise, elles sont beaucoup moins nombreuses que celles que nous pourrions appeler des travailleuses spécialisées.

En effet, les femmes sont deux fois plus nombreuses à faire la comptabilité qu'à faire la gestion administrative, elles sont aussi deux fois plus nombreuses à s'occuper des soins aux animaux qu'à faire la gestion du troupeau. Leurs tâches sont principalement des tâches d'exécutantes. Or, la majorité des femmes s'estiment passablement ou même très compétentes en ce qui concerne la gestion administrative et la gestion du troupeau.

Photo : Nicole Morel

Elles ont appris ces tâches en travaillant avec leurs parents et/ou leur mari. Le *learning by doing* a encore prouvé ses vertus comme méthode d'apprentissage puisqu'il semble que, malgré qu'elles aient dû apprendre par elles-mêmes ce que d'autres ont été payées pour apprendre, elles le font bien.

Les domaines où elles souhaitent acquérir plus de compétence sont aussi révélateurs. Il s'agit de :
— la comptabilité (49 %) ;
— la gestion administrative (34 %) ;
— les soins aux animaux (33 %) ;
— la gestion du troupeau (28 %) ;
— les travaux des champs (20 %).

Ces constatations sont de bon augure car présentement les capacités de gestionnaire des femmes ne sont pas suffisamment mises à profit.

Disons, toutefois, que les situations sont diverses et qu'il y a en agriculture des femmes qui sont travailleuses à temps partiel, travailleuses à plein temps, manœuvres, travailleuses spécialisées, gestionnaires d'une partie ou de la totalité de l'entreprise. Certaines ont un grand pouvoir sur leur travail, d'autres n'en ont pas du tout. Il y en a qui exercent des fonctions d'opératrices de machinerie, de vachers, de réceptionnistes, de secrétaires, de comptables, de recherchistes, de relationnistes, de directrices du personnel, de techniciennes sanitaires, de mécaniciennes, de camionneurs, de vendeuses, de publicistes, de planificatrices, d'acheteuses, ¡tc. Elles appellent cela « aider au train, faire des commissions, repondre au téléphone ».

UNE CONTRIBUTION VARIABLE AUX PRISES DE DÉCISION

Des décisions sur le choix des tâches

Dans l'enquête, la grande majorité des femmes déclarent faire le travail qu'elles aiment à l'intérieur de l'exploitation. Les facteurs qui influencent le plus le partage des tâches dans l'entreprise sont leurs goûts (38 %), le temps qu'elles peuvent consacrer à l'entreprise (38 %), leurs compétences (33 %), la décision qu'elles prennent avec leur conjoint après discussion (32 %).

Quels sont les facteurs qui influencent le plus le partage des tâches dans l'entreprise ?

Vos goûts	38 %
Les goûts de votre mari	17 %
Les goûts de vos enfants	7 %
Les goûts des autres actionnaires ou sociétaires	1 %
Vos compétences	33 %
Les compétences de votre mari	17 %
Les compétences des autres actionnaires	1 %
Les engagements extérieurs de votre mari	12 %
Vos responsabilités envers les enfants	24 %
Le temps que vous pouvez consacrer à l'entreprise	38 %
La rentabilité de l'activité	20 %
La tradition d'attribuer certaines tâches aux femmes	9 %
La décision de votre mari	7 %
La décision commune après discussion	32 %
Autres	4 %

Il apparaît donc que, sur l'organisation de leur vie quotidienne, les femmes prennent beaucoup de décisions, autant que la chose est possible en agriculture.

Un pouvoir d'influence sur l'orientation de l'entreprise

Lorsqu'il s'agit de faire une grosse dépense, d'introduire une nouvelle production, 2 % des répondantes à l'enquête ont déclaré prendre la décision seule, 34 % la prennent avec leur mari ou les sociétaires. La majorité (68 %) des femmes sont consultées par leur mari, mais c'est lui qui décide. Elles possèdent rarement les moyens de production, n'ont pas de pouvoir de décision et c'est leurs connaissances agricoles, la qualité de la relation qu'elles ont avec leur mari, leur force de caractère, voire leur santé et l'image qu'elles ont d'elles-mêmes qui leur permettent d'exercer une influence. C'est ce qui s'appelle le pouvoir d'influence.

Pour certaines, c'est le mari qui est la principale source d'information. La participation aux décisions risque d'être l'acceptation des choix du mari. Dans d'autres cas, ce sont les femmes qui lisent, consultent, cherchent ; elles réussissent ainsi à influencer davantage le développement de l'entreprise. Il y a aussi de nombreux cas où les femmes ont démontré plus de talents de gestionnaire que leur mari. Le partage des tâches, entre conjoints, a donc tenu compte de cette réalité.

Dans la majorité des cas, le pouvoir que les femmes ont dans les entreprises n'est pas légal, n'est pas statutaire. Il est davantage lié à la relation qu'elles ont avec leur mari. Elles contribuent aux prises de décisions par ce pouvoir d'influence, et cette contribution exige probablement plus de temps et d'énergie que si elles avaient un pouvoir de décision statutaire. En effet, prendre une décision peut se faire assez rapidement lorsqu'on a les informations requises. Il est beaucoup plus long et fatigant d'influencer celui qui va la prendre.

Aucun pouvoir sur l'orientation de l'agriculture

C'est principalement par le syndicalisme et la coopération que les agriculteurs du Québec exercent un pouvoir sur leur devenir. Or, les femmes sont, à quelques exceptions près, absentes des instances décisionnelles de ces organismes. Sur les grandes décisions extérieures à l'entreprise qui, à moyen ou long terme, déterminent ce qui se passera à l'intérieur des entreprises, les femmes n'ont donc pas de pouvoir.

Les femmes peuvent se poser beaucoup de questions à partir de ces constatations. Pourquoi et comment leur pouvoir diminue-t-il à mesure que l'importance des décisions augmente ? Si elles n'ont pas de pouvoir sur le devenir de l'agriculture, garderont-elles encore longtemps du pouvoir sur le devenir de l'entreprise et sur l'organisation de leur vie quotidienne ? Et surtout : *Quel prix coûte aux femmes l'exercice de leur pouvoir d'influence ?* L'énergie qu'elles y mettent vaut-elle ce qu'elles en retirent ? Quelle sécurité ont les femmes qui n'ont pas de pouvoir décisionnel garanti ?

Concrètement, qu'est-ce que cela veut dire, ne pas avoir de pouvoir ? Pour certaines, cela veut dire voir arriver une grosse machine dans la cour et apprendre qu'il faudra la payer. Pour une autre jeune femme que je connais, cela a voulu dire être mise de côté par son mari. Il disait lui-même : « Ma femme aime l'agriculture encore plus que moi, c'est le succès assuré. » Marié depuis six ans, ayant déjà trois enfants, ce jeune couple était surchargé de travail. Lui, avait acheté la ferme paternelle quelque temps avant de se marier et ils avaient investi pour améliorer le fonds de terre, le troupeau et les bâtiments. L'entreprise était en marche vers la prospérité mais la charge de travail était lourde. Un des frères du mari était intéressé à venir partager cette charge en formant une société. Ils ont beaucoup discuté, la femme n'est pas arrivée à prendre une décision, l'homme l'a prise seul. « C'est la première fois que je prends une décision de cette manière-là depuis que je suis marié », a-t-il dit. Elle était de taille. Ce faisant, il donnait à son frère la responsabilité du troupeau qui avait été le domaine de sa femme avant la création de la société. « Je ne pouvais pas donner juste des petits travaux à mon frère. » Il s'agit là d'un couple où il y a de l'entente mais je pense que personne n'a su comment faire autrement. Surchargée de travail, fatiguée par trois grossesses successives, inexpérimentée, la femme n'a pas su trouver de solution pour elle. Son mari non plus. Le résultat est qu'elle ne joue plus un rôle important dans un domaine qu'elle adore pourtant. Le pouvoir c'est parfois le temps, l'expérience, la formation, l'information...

« Je commence à avoir le temps de penser ; avant j'avais trop d'ouvrage », me disait une femme d'une cinquantaine d'années dont les enfants étaient élevés. L'exploitation était devenue rentable. Bien que la relation qu'elle avait avec son mari était satisfaisante, elle s'inquiétait du fait qu'elle n'aurait pas beaucoup de pouvoir sur la décision de la vente de l'entreprise. Elle ne voulait pas avoir travaillé pour rien ou pour n'importe qui, mais c'est seulement à cinquante ans qu'elle avait le temps d'y penser.

Les femmes n'ont pas toujours le choix de travailler ou pas dans les entreprises. Certaines considèrent comme une injustice de devoir être agricultrices parce que leur mari est agriculteur.

J'AI TOUJOURS TROUVÉ QUE CE N'EST PAS LA PLACE D'UNE FEMME LE CHAMP OU LES DIVERS TRAVAUX DE L'ÉTABLE. PHYSIQUEMENT, C'EST ÉPUISANT. PERSONNELLEMENT, JE

*NE TROUVE PAS CE TRAVAIL ÉPANOUISSANT NI REVALORI-
SANT POUR UNE FEMME. JE N'AI JAMAIS OBLIGÉ MON MARI À
APPRENDRE À FAIRE DES TARTES OU UN POT-AU-FEU. JE NE
VOIS PAS POURQUOI, MOI, JE SERAIS OBLIGÉE D'APPREN-
DRE TOUT SON TRAVAIL. APRÈS LA TRAITE ET LE SOUPER, JE
NE PEUX PAS M'ASSEOIR, LES JAMBES ÉLEVÉES SUR UN
TABOURET, PARCE QU'IL Y A LE BAIN DES ENFANTS, LES
TRAVAUX SCOLAIRES, ETC. QUAND JE M'ARRÊTE C'EST POUR
ALLER DORMIR, ÉPUISÉE. JE VEUX BIEN COOPÉRER MAIS
C'EST TOUJOURS À SENS UNIQUE. ÇA DEVIENT TRÈS IRRI-
TANT.*

Ces femmes, cependant, ne représentent pas la majorité qui, elles, déclarent, comme nous l'avons vu précédemment, avoir sur le choix des tâches à accomplir, un pouvoir de décision. La plupart des femmes disent que les tâches qu'elles réalisent sont des tâches qu'elles aiment. Ceci est très positif : choisir et aimer un travail donne plus de chances de réussite et d'épanouissement.

Sur les orientations de l'entreprise, le pouvoir des femmes diminue : elles n'ont pas un pouvoir de décision mais un pouvoir d'influence. En effet, nous l'avons dit, leurs tâches sont plus des tâches techniques que des tâches de gestion. Lorsqu'il faut prendre une décision importante ce sont davantage les maris qui la prennent mais les femmes les influencent dans leur choix.

Ce pouvoir-là — le pouvoir d'influence — est une spécialité féminine. Parfois, en fait tant que les femmes sont habiles à s'en servir, il équivaut au pouvoir décisionnel. Cependant, il est soumis à la qualité de la relation de couple, à la confiance que la femme a en elle-même, voire à sa santé et à sa détermination et, surtout, il demande beaucoup plus de temps et d'énergie que l'autre. Il est donc une surcharge pour des femmes déjà surchargées. C'est ce qui explique qu'une femme de cinquante ans commence seulement à penser au faible poids qu'elle a dans les décisions. On peut alors se poser bien des questions. **Les femmes sont-elles surchargées parce qu'elles n'ont pas de pouvoir sur l'agriculture ou bien n'ont-elles pas de pouvoir sur l'agriculture parce qu'elles sont surchargées ? Les surcharge-t-on pour les éloigner du pouvoir ?**

UNE RÉMUNÉRATION CONFUSE

En échange de leurs investissements en temps, en argent, en compétence, en préoccupation... les femmes ne reçoivent pas grand chose, officiellement. C'est une autre des constatations claires de l'enquête. La proportion de celles qui déclarent être payées est faible : 28 %. Elle devient encore plus faible quand on regarde de quelles manières elles sont payées.

De quelle façon êtes-vous payée ?

Je prends ce qu'il me faut quand j'en ai besoin	55 %
Salaire hebdomadaire, mensuel, horaire	34,3 %
Pourcentage sur les profits	8,4 %
Régime enregistré d'épargne-retraite	6,4 %
Dons	6,2 %
Participation accrue à l'actif de l'entreprise (billets, participation action, etc.)	2,6 %
Autres	6,7 %
	119,6 % *

Photo : La Terre

* Le total donne plus de 100 % parce que certaines répondantes sont payées de plus d'une manière.

Celles qui sont payées se déclarent satisfaites de leur rémunération (90 %). Seulement 9,9 % se disent insatisfaites. On retrouve ici une des contradictions des résultats de l'enquête : les femmes déclarent être satisfaites d'un paiement qui ne les reconnaît que rarement comme les égales de leur mari alors qu'ailleurs, et de plusieurs manières, elles déclarent souhaiter modifier les choses qui leur permettraient d'établir avec leur mari un rapport égalitaire.

Je soupçonne que les femmes sont ici victimes de leur difficile rapport à l'argent. En effet, même bonnes administratrices, les femmes ont toujours de la difficulté à prendre de l'argent ou des biens pour elles. Comme si l'argent était sale, comme si une femme ne devait pas vouloir trop d'argent...

Mais regardons de nouveau les modes de paiement en n'oubliant pas que cette réalité ne touche que le tiers des femmes de l'agriculture, les deux tiers n'étant pas payées du tout.

Plus de la moitié des femmes qui sont payées prennent ce qu'il leur faut quand elles en ont besoin. À une autre question de l'enquête un nombre équivalent de femmes ont répondu que si elles n'étaient pas payées, c'était parce qu'elles prenaient ce qu'il leur fallait quand elles en avaient besoin. Il y a donc autant d'agricultrices qui croient qu'il s'agit là d'un paiement que d'agricultrices qui considèrent que ce n'en est pas un.

Pour ma part, je ne considère pas cette façon de faire comme un véritable paiement. Bien sûr, nombre de femmes fonctionnant de cette manière possèdent un niveau d'aisance enviable. À court terme, cela peut représenter le revenu le plus élevé qu'une agricultrice puisse recevoir pour son travail. Combien de salariés aimeraient que leur salaire soit fixé en fonction de leurs besoins ! Si l'entreprise marche bien, si le mari est un homme généreux ou honnête, si la relation entre la femme et son époux est harmonieuse, si les revenus de l'entreprise permettent de satisfaire les besoins de toute la famille, si la femme est capable de faire reconnaître ses besoins, alors ce mode de paiement peut permettre de vivre bien, voire richement.

Mais toutes ces conditions peuvent changer. Les aléas du marché peuvent modifier les revenus générés par l'entreprise, ils peuvent aussi développer beaucoup d'anxiété chez un homme généreux, ce qui l'amènera à priver les siens de ce qui répondait auparavant à leurs besoins. Les relations harmonieuses peuvent en arriver à se détériorer, une femme peut, avec les ans, la fatigue, l'intérêt qu'elle porte aux besoins de ses enfants, devenir moins capable de négocier des choses pour elle. Il pourrait alors arriver qu'elle ne puisse pas prendre ce qu'il lui faut, même quand elle en a bien besoin.

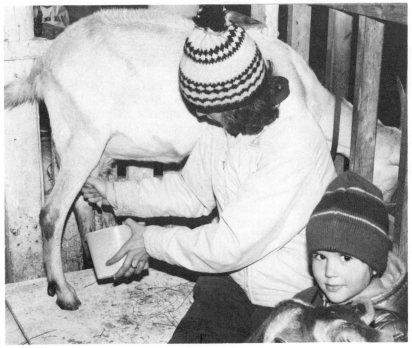

Photo : Nicole Morel

La notion de « besoin », en effet, est très variable. Certaines personnes savent bien identifier leurs besoins et les faire reconnaître, d'autres n'y arrivent jamais. Et les mères de famille (89 % des femmes qui travaillent en agriculture) ont beaucoup de difficultés à démêler leurs besoins de ceux de leurs enfants.

Pour ces raisons, je pense donc que si ce mode de paiement peut, à court terme, être très satisfaisant, il peut aussi être décevant et même tragique, à long terme. C'est d'ailleurs ce que beaucoup de femmes d'âge mûr expriment.

Le deuxième mode de paiement en importance est le salaire hebdomadaire, mensuel ou horaire. Ce mode a l'avantage d'être clair et plus détaché de toutes sortes de considérations affectives. Ces montants, qui appartiennent aux femmes en propre, peuvent être utilisés comme elles le souhaitent (sauf pour celles qui, mariées en communauté de biens, travaillent à l'intérieur d'une entreprise non incorporée).

Le salaire donne donc une possibilité d'autonomie mais son inconvénient est qu'il établit, entre le mari et la femme, un rapport d'employeur à employée. Ce n'est donc pas un rapport égalitaire. Et là, les femmes d'aujourd'hui régressent par rapport à leurs grand-mères qui vivaient avec leur mari un rapport de complémentarité dans ce projet qui est de faire vivre une famille sur une exploitation agricole. Mariées en communauté de biens, ces grand-mères, bien que n'étant pas les gérantes de la communauté, en possédaient plus que leurs petites filles mariées en séparation de biens qui n'ont pas plus de pouvoir.

Le salaire, c'est beaucoup mieux que rien du tout. Il peut permettre le développement d'une autonomie. Il peut permettre de faire des investissements — dans l'entreprise ou ailleurs — et, au fil des ans, de devenir propriétaire d'une partie de l'entreprise. Il permet aussi d'avoir accès au régime des rentes et à l'assurance des accidents du travail. Dans le cas des entreprises en sociétés, il permet de bénéficier de l'assurance-chômage et des allocations-maternité. C'est parfois intéressant au plan de la fiscalité. Considéré comme un moyen, le salaire est intéressant. Considéré comme une fin, il est en contradiction avec le souhait clairement identifié par les femmes : établir avec leur conjoint un rapport d'égalité dans l'entreprise.

Selon l'utilisation qui en est faite, les pourcentages sur les profits et les dons peuvent aussi permettre aux femmes de développer une autonomie financière. Ces modes de rémunération peuvent, comme le salaire entre autres, permettre d'accéder à la seule rémunération complète, à mon sens, pour une exploitante agricole.

La participation accrue à l'actif de l'entreprise est la seule forme de rémunération qui, à long terme, lui permettra à la fois de bénéficier de la valorisation de l'entreprise avec les ans, d'avoir à l'intérieur et à l'extérieur de celle-ci un statut reconnu et un pouvoir statutaire et de créer avec le mari et les enfants une relation égalitaire.

Mais seulement 1 % des répondantes à l'enquête sont payées de cette manière. Bien sûr, il faut aussi prendre en considération que 21 % des répondantes sont déjà propriétaires, actionnaires ou sociétaires de l'entreprise et que, vraisemblablement, ces femmes sont ou ont été payées de cette manière.

Pourquoi 70 % des femmes qui travaillent en agriculture ne sont-elles pas payées ? Le tableau suivant montre les raisons données par les 1 428 femmes qui ne le sont pas.

Pourquoi n'êtes-vous pas payée ?

Les conditions financières de l'entreprise ne le permettent pas	36 %
Je n'ai pas demandé à être payée	23 %
Je prends ce qu'il me faut quand j'en ai besoin	21 %
Ça ne changerait rien au revenu familial	20 %
Je n'en ai pas besoin	8 %
Mon mari trouve que ce n'est pas nécessaire	6 %
Ça ne serait pas avantageux pour l'entreprise	4 %
Je ne veux pas désavantager mon mari au point de vue impôts	3 %
Mon mari ne veut pas être désavantagé au point de vue impôts	2 %

Photo : La Terre

La première raison, qui ne surprend personne, est que les conditions financières de l'entreprise ne le permettent pas (36 %). Si on ajoute à ce pourcentage le nombre de femmes qui déclarent que ça ne changerait rien au revenu familial (20 %), cela nous donne 56 % de celles qui ne sont pas payées.

Il est certain que dans toutes les entreprises qui sont en train de s'organiser, tous les revenus qui excèdent ce dont la famille a absolument besoin pour vivre sont réinvestis dans l'entreprise ; on ne paie que ceux que l'on est obligé de payer et on omet les membres de la famille. Mais dans ce cas pourquoi toutes celles qui travaillent ne pourraient-elles pas faire reconnaître cet investissement par une participation accrue à l'actif de l'entreprise (s'il s'agit d'une compagnie) ou encore par des dons que les femmes pourraient prêter sans intérêts à l'entreprise ?

D'autre part, je me pose des questions sur cette impossibilité financière de payer le travail des femmes. Si l'on en croit les 513 répondantes qui déclarent ne pas être rémunérées à cause de cela, nous pouvons penser que 25 % des exploitations agricoles québécoises sont incapables de payer leurs travailleuses. Pourtant, plusieurs productions ont réussi à faire reconnaître leurs coûts de production et on y calcule le travail des femmes.

Il y a ici plusieurs explications possibles. Les répondantes n'ont peut-être pas toutes considéré qu'une rémunération n'est pas seulement un montant de surplus que l'on reçoit « pour placer » une fois que le logement, la nourriture, l'habillement et les loisirs ont été payés. Il est certain que pour le plus grand nombre de femmes, être payée consisterait à recevoir des montants qui seraient utilisés pour payer ce que leur mari paie actuellement. Cela ne changerait rien au revenu familial.

Une autre explication possible du fort pourcentage de femmes qui disent ne pas être payées parce que les conditions financières ne le permettent pas, serait que, comme les femmes font passer les besoins de leur conjoint et de leurs enfants avant les leurs, elles font aussi passer — peut-être parce qu'elles n'ont pas la possibilité de faire autrement — les besoins de l'entreprise avant les leurs. Dans l'enquête, plusieurs femmes se plaignent du fait que leurs conditions de travail ainsi que leur vie de famille se détériorent parce qu'elles ont toujours devant elles le spectre des paiements à faire à la banque. Les femmes n'ont pas d'argent et de biens à elles, elles ont donc peu d'influence sur le choix des investissements, et ces investissements font qu'elles ne peuvent pas avoir d'argent à elles... C'est une belle roue qui, comme on le verra plus loin, peut contribuer non seulement à laisser les femmes sans revenus, mais aussi à effacer de l'agriculture les conditions qui font que les femmes aiment y travailler.

Ces investissements peuvent, en effet, servir à enligner l'entreprise vers une organisation du travail qui ne conviendra plus aux femmes qui devront alors laisser leur place à des ouvriers spécialisés ou à des sociétaires.

Une femme qui est en société avec son mari sur une exploitation pour laquelle ils font beaucoup d'investissements me disait qu'elle et son mari s'octroyaient un salaire. À ma question au sujet de la capacité, pour l'entreprise, de générer deux salaires elle m'a répondu : « Quand il y en a pour lui, il y en a pour moi. » Peut-être est-ce là une mentalité à développer ?

Une autre série de raisons données par les femmes m'entraîne vers d'autres types de remarques. Il s'agit des 23 % qui n'ont pas demandé à être payées, des 8 % qui disent ne pas en avoir besoin, des 6 % dont les maris trouvent que ce n'est pas nécessaire et des 9 % qui ne veulent désavantager ni leur mari, ni l'entreprise.

N'y-a-t-il pas en-dessous de ces choix une attitude où se conjuguent la faible valeur que l'on s'accorde à soi et à son travail et la difficulté à identifier ou à faire reconnaître ses besoins ?

Rappelons-nous que le deuxième sujet d'insatisfaction des femmes qui travaillent en agriculture est la faiblesse des avantages financiers qu'elles en retirent. Nombreux sont les commentaires où elles expliquent qu'il serait normal qu'elles reçoivent une rémunération et qu'elles ont besoin d'argent personnel.

LA FEMME DE L'AGRICULTEUR MANQUE SURTOUT D'ARGENT.

Dans la plupart des cas, elles ne demandent pas un salaire correspondant à leur travail. Elles parlent de petit ou de moyen salaire et expliquent qu'un salaire signifie que l'on est reconnue. Décidément, elles tiennent à la reconnaissance.

ET DISPOSER D'UN CERTAIN MONTANT POUR DES DÉPENSES PERSONNELLES SANS AVOIR À RENDRE COMPTE DE CHAQUE CENT (...) SI PETIT SOIT-IL (...) EN PROPORTION DU REVENU FAMILIAL, BIEN SÛR.

POUR MA PART, JE TROUVE QU'IL EST GRANDEMENT TEMPS QUE LE TRAVAIL, LE SOUTIEN MORAL, LE DÉVOUEMENT QU'APPORTE LA FEMME SOIENT RECONNUS. IL EST URGENT QUE LA FEMME SOIT PAYÉE, QU'ELLE SOIT MOTIVÉE POUR CE QU'ELLE FAIT.

Ce n'est pas là la pensée de toutes et, sur cette question, les femmes sont partagées. Assisterait-on à un changement profond de mentalité ?

À la question, « Est-ce que le fait d'être payée ou pas a de l'importance pour vous ? », 39 % des femmes ont dit oui ; 43 % non ; 10 % qu'elles ne le savaient pas et 9 % n'ont pas répondu. Qu'auraient répondu les femmes à cette question il y a dix ans, que répondront-elles dans dix ans ? Il est certain que des choses sont en train de changer car, dans un milieu où, il y a seulement quelques années, aucune femme n'attendait une rémunération, en 1981, 39 % d'entre elles trouvaient cela important.

4

L'IMPLICATION AGRICOLE
CHANGE-T-ELLE SELON LES ÂGES ?

Les points de vue et les souhaits de changement sont rarement unanimes parmi les agricultrices. On dit parfois qu'elles ne savent pas ce qu'elles veulent. Je dirais plutôt qu'elles ne veulent pas toutes la même chose et que les différences d'opinions et d'attentes sont souvent dues aux différences d'âge.

En analysant les réponses à l'enquête selon l'âge des répondantes, il est apparu que les femmes de 15 à 25 ans, celles de 25 à 40 ans et les plus de 40 ans, formaient trois groupes ayant des caractéristiques sociologiques différentes et des mentalités particulières. Même s'il n'y a pas entre les groupes des frontières étanches, on peut quand même décrire des profils particuliers pour chacun.

LES 15-25 ANS

Il y a encore des célibataires dans ce groupe, alors qu'elles sont des exceptions dans les autres. Les deux tiers de celles qui sont mariées le sont en séparation de biens, les autres en société d'acquêts. Les 15-20 ans n'ont pas encore d'enfants mais 50 % des 20-25 ans en ont déjà. Dans un plus fort pourcentage que les autres, elles ont un travail rémunéré en dehors de l'entreprise (25 %). Plus de 80 % d'entre elles ont terminé leurs études secondaires, 25 % ont complété des études collégiales. Plusieurs n'ont probablement pas encore complété leur formation.

Elles participent peu aux réunions de l'UPA et ne souhaitent pas autant que d'autres groupes y participer. Les principales raisons données à leur manque de participation sont : « Je ne suis pas membre » ; « Je n'y suis pas invitée » et « Mon mari n'y va pas ».

Elles souhaitent presque autant que les 25-40 ans devenir productrices agricoles et être ainsi partenaires de leur mari. Les 15-19 ans le souhaitent toutes. Les 20-24 ans qui ne le souhaitent pas expliquent que leur situation actuelle leur convient.

Les 20-24 ans ont investi dans l'entreprise les économies qu'elles avaient réalisées avant leur mariage. Elles sont plus souvent que les autres payées pour leurs travaux dans l'entreprise par un salaire ou en prenant ce qu'il leur faut quand elles en ont besoin. Celles qui ne sont pas payées déclarent que c'est parce que les conditions financières de l'entreprise ne le permettent pas. Les 15-19 ans n'accordent pas d'importance au fait d'être payées.

Bien que plus instruites que la moyenne et fréquentant davantage des milieux de travail autres que l'agriculture, les 15-25 ans ne sont pas du tout celles qui revendiquent et suscitent les changements. Plutôt préoccupées par des relations à créer et un ménage à organiser, elles ne s'intéressent pas encore à leur environnement social.

Photo : La Terre

Cependant, elles sont certainement animées par un désir de clarté dans leur implication : elles ne vont pas aux réunions de l'UPA puisqu'elles n'en sont pas membres ; et si elles désirent y participer c'est en tant que membres à part entière ; elles souhaitent être reconnues productrices agricoles puisqu'elles le sont ; elles ne demandent pas d'argent puisqu'il n'y en a pas de disponible.

D'une part, elles sont cohérentes dans leur désir de participation, d'autre part, elles ne sont pas très préoccupées par les problèmes qui débordent le cadre de l'entreprise. À moins qu'elles ne soient en train de s'impliquer dans un autre domaine que l'agriculture...

LES 25-40 ANS

Les femmes de ce groupe d'âge sont presque toutes mariées et à près de 70 %, le sont dans le régime de la séparation de biens. Plus de 40 % d'entre elles ne sont pas filles d'agriculteur. Elles sont devenues mères de famille. Elles ont entre un et quatre enfants de 0 à 12 ans. Environ 17 % d'entre elles ont un travail rémunéré en dehors de l'entreprise agricole. C'est dans ce groupe qu'elles ont été les plus nombreuses à exercer un métier avant de travailler en agriculture (88 %). Ce sont elles qui ont fait le plus d'études : environ 70 % ont complété des études secondaires, 30 % des études collégiales et c'est dans ce groupe qu'on retrouve le plus de diplômées de l'université (7 %).

Elles sont plus nombreuses que dans les autres groupes à assister régulièrement aux réunions de l'UPA, mais elles souhaiteraient le faire davantage et c'est comme membres avec droit de vote et de parole qu'elles veulent y participer. Qu'est-ce qui les empêche de le faire ? *Le manque de temps.*

Elles sont nombreuses à vouloir être reconnues productrices agricoles. Pourquoi ? Pour être partenaires de leur mari — comme dans les autres groupes — et aussi pour participer aux risques et avantages de leur profession.

Elles ont beaucoup investi dans l'entreprise ; il s'agit surtout de salaires gagnés en dehors de celle-ci. Lorsqu'elles sont rémunérées pour leur travail dans l'entreprise c'est par un salaire ou en prenant ce qu'il leur faut quand elles en ont besoin. Lorsqu'elles ne sont pas payées c'est rarement parce qu'elles ne l'ont pas demandé. Elles accordent plus d'importance que les autres au fait d'être payées. Ce sont elles aussi qui souhaitent le plus participer à des programmes de formation professionnelle.

Dans tous les tableaux qui vous sont présentés, une chose ressort clairement : *celles qui veulent du changement, ce sont les femmes de 25-40 ans.*
— 50 % souhaitent être reconnues productrices agricoles ;
— 64 % souhaitent participer au syndicalisme agricole dont 43 % comme membres à part entière ;
— 45 % accordent de l'importance au fait d'être payées.

Et les femmes de ce groupe ont plusieurs cordes à leur arc. Elles sont instruites, elles ont l'expérience d'autres milieux et elles investissent. Ou bien elles ont déjà investi ou bien elles continuent de le faire en allant travailler à l'extérieur. Faire reconnaître ces investissements leur permettrait de réaliser leurs souhaits.

Leur handicap ? Il est de taille. C'est le manque de temps, la surcharge de travail. Elles sont à l'époque du « Môman travaille pas, a trop d'ouvrage » ou du « Môman réfléchit pas, a trop de choses à penser ».

Pour réaliser leurs désirs, elles devront redéfinir leur rôle. Car, quand on reste à la maison pour permettre au mari d'aller à la réunion, c'est qu'on a identifié une place précise à chacun.

Pour expliquer leur absence du syndicalisme, leur absence des cours de formation professionnelle, c'est toujours les mêmes réponses qui reviennent : « Je n'ai pas le temps » ou « Je reste à la maison pour permettre à mon mari d'y aller ». Leurs attentes professionnelles ne peuvent se réaliser si leurs tâches domestiques ne sont pas allégées. Il faudrait qu'elles pensent à des services d'aide-ménagères, à une nouvelle répartition des charges domestiques avec leur mari.

Photo : Jacques Leduc

LES FEMMES DE PLUS DE 40 ANS

Elles aussi sont mariées, la moitié en communauté de biens, l'autre en séparation de biens. Elles sont filles d'agriculteurs à plus de 80 %. Elles sont presque toutes mères de famille, mais n'ont plus d'enfants en bas âge (moins de 6 ans). Ce n'est cependant qu'à 45 ans qu'elles seront vraiment allégées de leurs tâches familiales. Elles sont moins nombreuses que les autres à avoir un travail rémunéré en dehors de l'entreprise (10 %) ou à avoir exercé un autre métier avant l'agriculture (65 %). Enfin elles sont allées à l'école moins longtemps que leurs cadettes.

Ce sont les femmes de 45-54 ans qui sont les plus nombreuses à assister régulièrement aux réunions de l'UPA. Moins désireuses tout de même d'y participer que les femmes de 30-44 ans l'intérêt se maintient jusqu'à 54 ans. Mais contrairement aux plus jeunes, qui veulent être membres à part entière, les femmes de plus de 40 ans souhaitent majoritairement assister aux réunions comme observatrices.

Leur souhait de devenir productrices est plus faible que chez les moins de 40 ans (38 % tout de même), leur préoccupation est plutôt d'améliorer leur situation financière ; elles pensent particulièrement au Régime des rentes du Québec.

Elles aussi ont investi de l'argent dans l'entreprise ; des économies réalisées avant leur mariage ou un héritage. C'est dans ce groupe qu'il y a le plus d'insatisfaction face à la rémunération. Elles sont très rarement payées pour leurs travaux dans l'entreprise. Pourtant là, ce n'est plus parce que les conditions financières de l'entreprise ne le permettent pas !

Les femmes de plus de 40 ans commencent à avoir ce que les plus jeunes n'ont pas : du temps. Du temps pour penser, pour discuter, pour aller voir ailleurs. Leur handicap : elles se mettent à perdre confiance en elles-mêmes. Elles hésitent à s'impliquer à l'extérieur de l'entreprise et sentent que leurs proches les ont utilisées. Ce manque de confiance se retrouve chez des plus jeunes mais il est caractéristique des plus de 40 ans. Celles-ci ne prennent pas conscience de ce qu'elles savent et de ce qu'elles valent au plan professionnel et bien peu de gens ont pris le temps de leur dire.

Des travaux de psychologues ont démontré que l'intérêt social augmente de 6 à 39 ans puis décroît au-delà de 39 ans[3]. D'autres recherches ont montré que l'estime de soi augmente jusqu'aux environs de 40 ans pour ensuite commencer à diminuer. Ces comportements se retrouveraient autant chez les femmes que chez les hommes[4]. On les retrouve chez les agricultrices. Le « Courrier de Marie-Josée » de *La Terre de chez nous* nous relate souvent ces cas, très nombreux dans l'enquête, de femmes qui ont travaillé autant qu'elles ont pu sans demander grand-chose. Elles n'ont pas exigé que leurs conditions de travail s'améliorent. Exiger n'est pas féminin. Elles ont demandé parfois, elles se sont plaintes aussi mais elles ont fini par attendre. Elles ont fait des choses pour les autres à leur simple demande et elles ont cru que les « autres » fonctionneraient de la même manière. Elles ont attendu que, par amour, on réponde à leurs demandes. Alors elles ont été déçues au plan professionnel et au plan affectif.

Pourcentage de filles d'agriculteurs

15 - 24 ans	60 %
25 - 39 ans	58 %
40 ans et plus	83 %

3. Cité par René L'écuyer dans *Le Concept de soi,* PUF Coll. Psychologie d'aujourd'hui, Paris, 1978.
4. Ziller, cité par René L'écuyer, Ibid.

Régime matrimonial

	Communauté de biens	Séparation de biens	Société d'acquêts
15 - 24 ans	5 %	64 %	30 %
25 - 39 ans	12 %	72 %	15 %
40 ans et plus	48 %	50 %	2 %

Que nous apportent ces distinctions ? Elles précisent les besoins de formation, d'information et les réclamations prioritaires de chaque groupe. Les 15-25 ans, animées d'un désir de clarté, ont besoin d'information. Il est important qu'elles sachent, entre autres, quelles sont les conditions de vie de leurs aînées. Cependant, elles ne sont pas à la période d'une implication sociale. Que les organisations féminines ne dépensent pas trop d'énergie pour les rejoindre : elles sont occupées ailleurs. Dans quelques années, elles viendront elles-mêmes grossir les rangs de ces organisations.

Le groupe qui veut le plus accroître son implication professionnelle est celui des femmes de 25-40 ans. Le manque de temps qu'elles évoquent continuellement recouvre un problème plus fondamental : celui de repenser leur rôle. C'est à cette redéfinition de leur rôle, ainsi qu'à la recherche de moyens pour s'organiser différemment que ces femmes devront s'attaquer. Pour cela, la formation est très importante parce qu'il s'agit à la fois pour elles de se changer personnellement et d'acquérir des compétences pour s'organiser collectivement afin d'arriver à la reconnaissance et à l'implication complètes qu'elles recherchent.

Enfin, les femmes de plus de 40 ans, qui veulent surtout assurer leur sécurité financière, auraient intérêt à acquérir plus de confiance en elles et à se convaincre qu'elles ne réclament que leur dû. Pour cela, elles auront besoin d'appuis et de ressources.

Avez-vous jusqu'à ce jour investi de votre argent dans l'entreprise agricole ?

	Oui
15 - 24 ans	32 %
25 - 39 ans	50 %
40 ans et plus	42 %

Avez-vous présentement un travail rémunéré en dehors de l'entreprise ?

	Oui
15 - 24 ans	25 %
25 - 39 ans	17 %
40 ans et plus	10 %

Avant de travailler dans l'entreprise agricole, avez-vous exercé un autre métier ?

	Oui
15 - 24 ans	65 %
25 - 39 ans	87 %
40 ans et plus	68 %

Souhaiteriez-vous participer aux activités de l'UPA ?

	Oui
15 - 24 ans	53 %
25 - 39 ans	64 %
40 ans et plus	57 %

Photo : La Terre

De quelle manière les femmes veulent-elles participer aux réunions de l'UPA ?

	Les 15-24 ans	Les 25-40 ans	Les plus de 40 ans
Comme observatrices	13 %	11 %	22 %
Comme observatrices ayant droit de parole	20 %	19 %	26 %
Comme membres avec droit de parole et de vote	33 %	43 %	26 %
Comme remplaçantes du mari avec droit de vote, de parole et d'éligibilité de manière occasionnelle ou pour la durée d'un mandat	33 %	26 %	25 %

Répondantes qui souhaitent être reconnues productrices agricoles.

Les 15-24 ans	47 %
Les 25-40 ans	50 %
Les plus de 40 ans	38 %

5

LES PRODUCTRICES
RECONNUES

Que veut dire « être reconnu(e) producteur(trice) agricole »?

Cela veut dire que la société reconnaît qu'une personne fait partie de la profession agricole.

Cela permet de bénéficier des programmes gouvernementaux d'aide à l'agriculture : crédit agricole, travaux mécanisés, etc.

C'est une condition nécessaire pour être membre de l'UPA car la loi des producteurs agricoles (loi 24), qui régit le fonctionnement de l'UPA, stipule que pour en être membre, une personne doit être reconnue producteur(trice) agricole.

Comment peut-on être reconnu(e) producteur(trice) agricole?

L'exigence pour être reconnu(e) producteur(trice) agricole est actuellement de mettre en marché pour 1 000 $ de produits agricoles.

Il faut apporter les preuves de ces ventes à des représentants de l'UPA et du ministère de l'Agriculture.

Au moment de notre enquête il y avait 53 338 producteurs agricoles reconnus au Québec et parmi eux, 2 205 femmes soit 4,13 %[5]. L'Association des femmes collaboratrices évalue à environ 30 000 le nombre de femmes qui travaillent en agriculture ; 7,3 % d'entre elles auraient donc un statut officiel de productrices. Elles ont été 228 à répondre à notre enquête et forment 11 % des répondantes. C'est dire que, proportionnellement, plus que les autres elles ont décidé de répondre.

Qui sont ces femmes ? Il y a quelques années, seulement des veuves avaient ce statut. Aujourd'hui, il y a aussi des femmes qui exploitent seules une entreprise et beaucoup de femmes qui, en société ou en compagnie avec leur mari, font reconnaître leur statut professionnel. On peut aussi ne rien avoir à soi et se faire reconnaître si on met en marché pour au moins 1 000 $ de produits agricoles.

Parmi les répondantes à l'enquête qui ont déclaré être reconnues productrices agricoles, il y avait :
— 72 actionnaires de compagnies ;
— 52 propriétaires uniques ;
— 47 sociétaires ;
— 49 collaboratrices sans être propriétaires, sociétaires, actionnaires ou salariées ;
— 6 salariées.
Ces dernières, les salariées et les collaboratrices, peuvent être des femmes qui, sans posséder les moyens de production, ont fait

5. Service d'éducation et d'information, UPA.

reconnaître des ventes de produits agricoles. Il est possible aussi que certaines femmes aient fait des erreurs en répondant à l'enquête car la définition du statut de producteur n'est pas connue de toutes.

Ces femmes reconnues productrices sont réparties dans toutes les productions. Par rapport à l'ensemble des répondantes, elles sont peu nombreuses dans le lait, le porc et les cultures commerciales ; leur présence est plus importante dans l'élevage caprin, l'élevage ovin, la production de volailles, de lapins et de pommes. Notons aussi qu'elles sont filles d'agriculteurs à peu près dans la même proportion que les femmes non reconnues productrices.

La proportion des femmes reconnues productrices varie selon les régions. Elle est la plus forte dans les régions de la Gaspésie et de l'Estrie et est aussi plus forte que la moyenne dans St-Jean-Valleyfield, l'Abitibi-Témiscamingue et la Beauce. Les productrices sont peu présentes parmi les répondantes du Bas St-Laurent, de Lanaudière et de St-Hyacinthe.

Le pourcentage de répondantes reconnues productrices est plus fort après 40 ans. Elles sont proportionnellement moins nombreuses à avoir des enfants et surtout moins nombreuses à avoir des enfants de moins de 6 ans.

Plus que les autres, les productrices reconnues ont un travail rémunéré en dehors de l'entreprise actuellement mais elles sont moins nombreuses à avoir exercé un métier autre que l'agriculture avant de travailler dans l'entreprise.

Photo : Jacques Leduc

Beaucoup plus que les autres, elles ont investi dans l'entreprise. Ainsi, 66,9 % des femmes reconnues productrices ont investi alors que 42,8 % des autres femmes l'ont fait. Elles sont aussi plus nombreuses à être payées : 41,8 % des productrices contre 27,5 % des autres femmes.

Plus souvent que pour les autres les modes de paiement sont le pourcentage sur les profits et la participation à l'actif de l'entreprise. Elles accordent d'ailleurs plus d'importance que les autres au fait d'être payées. Lorsqu'elles ne le sont pas c'est surtout parce que ce ne serait pas avantageux pour l'entreprise. Elles évoquent moins que les autres des raisons comme : « Je n'en ai pas besoin », « Ça ne changerait rien au budget familial » ou « Je ne veux pas désavantager mon mari au point de vue impôts. » Dans une plus grande proportion que les autres, elles déclarent être très satisfaites de leur rémunération.

D'autre part, les productrices reconnues déclarent des heures de travail plus nombreuses que les autres femmes ; sauf en hiver, où la situation est moins claire, le nombre d'heures où elles travaillent est nettement plus important. Voici ce que donne la répartition des heures de travail *en été*. À partir de 41 heures, les pourcentages des productrices reconnues dépassent ceux des autres.

Nombre d'heures consacrées en moyenne par semaine au travail agricole.

	Productrices reconnues	Productrices non reconnues
5 à 20 h	19,3 %	27,6 %
21 à 40 h	30,7 %	35,6 %
40 à 60 h	23,2 %	18,2 %
60 h et plus	17,6 %	10,2 %

Les productrices reconnues sont proportionnellement plus nombreuses à avoir suivi un cours de formation professionnelle agricole. Lorsqu'elles n'en ont pas suivi, c'est très rarement parce qu'elles ont préféré que leur mari y aille ou que ça ne les intéresse pas. Enfin, elles semblent plus satisfaites que les autres de leurs travaux agricoles : 36,8 % disent être très satisfaites contre 28,6 % pour les autres.

Elles n'ont pas tout à fait les mêmes sujets de satisfaction que les autres femmes : plus souvent elles ont déclaré qu'elles étaient satisfaites parce que l'agriculture leur permet d'être leur propre patronne et que c'est un domaine où elles se sentent compétentes. Pour elles, la satisfaction est moins liée au fait de pouvoir travailler avec leur mari ou de faire plaisir à celui-ci. Les causes d'insatisfaction comme « Je n'ai aucun pouvoir de décision » ou « Je n'en tire aucun avantage financier » prennent évidemment moins de place pour elles.

Ce groupe de femmes qui, officiellement, sont plus impliquées que les autres en agriculture, ont plus investi, travaillent plus longtemps, se perfectionnent plus, sont plus souvent payées et semblent plus satisfaites, ont-elles plus de pouvoir que les autres ? Ont-elles plus d'influence à l'intérieur ou à l'extérieur de leur entreprise ?

Nous avons trois moyens de vérifier cela. Nous demandions dans l'enquête les facteurs qui influencent le plus le partage des tâches dans l'entreprise. Les productrices reconnues ont répondu *plus souvent* que leurs compagnes :
— les goûts de mon mari ;
— les goûts de mes enfants ;
— les compétences de mon mari ;
— mes responsabilités envers mes enfants ;
— la rentabilité de l'activité ;
— la tradition d'attribuer certaines tâches aux femmes ;
— la décision de mon mari.

Et c'est *dans la même proportion* que les autres qu'elles ont répondu :
— les goûts des autres actionnaires ou sociétaires ;
— mes compétences ;
— les compétences des autres actionnaires ;
— les engagements extérieurs de mon mari ;
— le temps que je peux consacrer à l'entreprise ;
— la décision commune après discussion.

Enfin, à un seul facteur elles accordent moins d'importance que les femmes non reconnues productrices : leurs goûts.

Si l'on considère que parmi ces femmes il y a des veuves et des propriétaires uniques, ces réponses sont surprenantes. En effet, les femmes reconnues productrices ont, sur l'organisation de leur quotidien, moins de pouvoir que les autres ! Sont-elles plus responsables vis-à-vis du travail à faire ? Veulent-elles se faire pardonner d'avoir pris de la place quelque part ? Sont-elles plus en mesure d'évaluer la réalité de leur quotidien ?

De toute façon, il y a des niveaux de prises de décisions plus importants que celui-là. Lorsqu'il s'agit de prendre une grande décision dans l'entreprise, comment cela se passe-t-il ? Le tableau qui suit montre ce qu'ont répondu les productrices reconnues et les autres femmes à cette question.

Lorsqu'il s'agit de prendre une grande décision...

	Productrices reconnues	Productrices non reconnues
Je prends la décision	11 %	1 %
Je prends la décision avec mon mari	39,5 %	28,8 %
Nous prenons la décision entre sociétaires ou actionnaires	8,3 %	3,4 %
Mon mari me consulte et prend la décision	5,3 %	16,3 %
J'arrive à influencer les décisions	3,9 %	4,9 %
Mon mari me consulte et tient compte de mes opinions en prenant ses décisions	33,8 %	49,5 %
Mon mari prend la décision	6,1 %	6,2 %
Je ne prends aucune part à la décision	0,4 %	2,2 %

Photo : La Terre

C'est dans ce domaine que les productrices reconnues s'affirment. Elles sont proportionnellement plus nombreuses à avoir un pouvoir de décision : 59 % d'entre elles ont indiqué les trois premiers modes de prises de décisions, contre 33 % des agricultrices non reconnues.

Les 4e, 5e et 6e modes de prises de décisions, qui signifient que les femmes exercent une influence sans toutefois prendre les décisions, sont moins forts chez les productrices, où ils totalisent 43 %, contre 77 % chez les productrices non reconnues.

Celles qui n'ont aucun pouvoir de décision ne forment que 6,5 % des productrices reconnues ; elles sont légèrement plus nombreuses dans l'autre groupe (8,4 %). Bref, dans l'orientation de l'entreprise, les productrices reconnues ont dépassé le niveau du pouvoir d'influence et ont accédé au pouvoir de décision.

Photo : La Terre

Qu'en est-il de leur participation au devenir de l'agriculture ? Quelle est leur place dans les organismes agricoles ? Les femmes reconnues productrices ne vont pas tellement plus souvent aux réunions de l'UPA que les autres. Cela n'est pas surprenant car, nous en avons parlé, si les femmes ne vont pas aux réunions, c'est bien plus parce que ces réunions entrent en conflit avec leur rôle de mère de famille et de maîtresse de maison et qu'elles sont surchargées de travail, que parce qu'elles ne sont pas légalement membres de l'UPA.

Les productrices évoquent davantage la surcharge de travail pour expliquer leur absence des réunions. On pouvait s'y attendre car elles consacrent plus d'heures à l'entreprise que les autres. Certaines raisons reviennent moins souvent chez elles que chez les autres femmes : « Je reste à la maison pour permettre à mon mari d'y aller », « Mon mari ne veut pas que j'y aille » ou « Je n'ai pas de gardienne » (elles sont plus âgées que les autres). Aucune productrice reconnue n'a donné comme raison que son mari n'y allait pas. Notons aussi que les productrices reconnues ne se distinguent pas des autres femmes quant à leur souhait de participation à l'UPA.

Souhaiteriez-vous participer aux activités de l'UPA ?

	Oui	Non
Productrices reconnues	59,6 %	40,4 %
Productrices non reconnues	60,3 %	39,6 %

Elles ne disent pas massivement qu'elles souhaitent participer aux activités de l'UPA comme membres à part entière. Certaines, comme chez les agricultrices non reconnues, veulent simplement y participer comme observatrices. Oui, elles veulent participer mais, que personne ne s'inquiète, elles ne vont pas se diriger à l'UPA demain matin ! En fait, leur situation ressemble à celle de toutes les femmes syndiquées : après le travail domestique, l'éducation des enfants et le travail professionnel, il ne leur reste pas beaucoup d'énergie pour le travail syndical.

Nous avons dit que pour l'ensemble des répondantes le pouvoir diminue à mesure que l'importance des enjeux s'accroît. La situation est légèrement différente chez les productrices reconnues. Celles-ci ont accru leur pouvoir sur l'orientation de l'entreprise, mais ne l'ont pas encore fait sur le devenir de l'agriculture.

Zones de décisions	Types de pouvoir	
	Productrices reconnues	Ensemble des répondantes
Le quotidien (partage des tâches)	Pouvoir de décision	Grand pouvoir de décision
Les grandes décisions dans l'entreprise (grosses dépenses, nouvelles productions)	Pouvoir de décision	Pouvoir d'influence
Le devenir de l'agriculture (participation aux organismes agricoles)	Pouvoir statutaire mais rarement utilisé	Très peu de pouvoir

En effet, les productrices reconnues ont réussi à déplacer leur zone de pouvoir du quotidien aux grandes décisions dans l'entreprise. Cependant, elles n'ont pas encore atteint la zone extérieure à l'entreprise. D'autre part, nous pouvons constater qu'elles se définissent moins que les autres par rapport à leur mari. Elles ont fait des pas vers la reconnaissance. En fait, bien que n'étant pas tout à fait à la même place, elles sont sur le même chemin que les autres femmes qui travaillent en agriculture car les différences soulignées ici entre les deux groupes sont davantage des nuances que des contrastes.

Photo : Nicole Morel

6

«MAIS QU'EST-CE QU'ELLES VEULENT ?»

Nous l'avons dit de plusieurs manières, ce que veulent les femmes c'est être reconnues. C'est leur besoin profond, leur première revendication. Mais, concrètement, cela se manifeste-t-il par des demandes précises ? Autrement dit, qu'attendent-elles de leurs proches et de la société comme démonstration concrète du fait qu'elles sont importantes, qu'on les considère ? L'enquête n'a pas fait le tour complet de ces demandes, mais elle en a cernées plusieurs :

— de meilleures conditions de travail en termes surtout de « droit au repos » ;
— plus de sécurité et d'autonomie financières ;
— la possibilité de faire des choix et d'influencer le devenir de l'agriculture ;
— de la formation.

DE MEILLEURES CONDITIONS DE TRAVAIL

Nous l'avons déjà remarqué en comptabilisant leurs heures de travail et leurs responsabilités, les agricultrices sont surchargées. La demande qui revient le plus souvent dans les commentaires à ce sujet est la possibilité, pour les familles agricoles, de prendre des vacances. Pour en arriver là, elles parlent de la création de services de vachers, de la formation de travailleurs agricoles, etc.

> *CE QUI SERAIT MERVEILLEUX POUR TOUTE LA FAMILLE, CE SERAIT DE POUVOIR PRENDRE QUELQUES JOURS DE CONGÉ PENDANT L'ANNÉE.*

> *IL FAUDRA QUE L'AGRICULTEUR DU FUTUR PLANIFIE SON TRAVAIL POUR EN AVOIR (DES LOISIRS) LUI AUSSI.*

> *IL DEVRAIT Y AVOIR PLUS DE MAIN-D'ŒUVRE COMPÉTENTE, LE COUPLE D'AGRICULTEURS POURRAIT PRENDRE DES VACANCES.*

> *FAVORISER UN PROGRAMME DE MAIN-D'ŒUVRE ITINÉRANTE (VACHERS) POUR PERMETTRE À L'AGRICULTEUR ET À SA FAMILLE DE PRENDRE DES VACANCES SANS SOUCIS.*

Les femmes en agriculture se comparent aux femmes d'autres professions et souhaitent avoir comme certaines d'entre elles des vacances, des congés de maladie, des congés-maternité, des assurances-maladie, des assurances-accidents, l'assurance-chômage :

> *ON NE PEUT ALLER TRAVAILLER À L'EXTÉRIEUR, NOUS, COMME LES AUTRES FEMMES. C'EST INJUSTE NOTRE SITUATION ACTUELLE PAR RAPPORT À CELLES QUI GAGNENT DE L'ARGENT.*

Elles souhaitent aussi bénéficier de services de garderie et d'aide-ménagères qui leur permettraient de concilier les tâches professionnelles et familiales. Car si certaines essaient de réduire une surcharge de travail qui peut les mener à l'épuisement, d'autres craignent d'être exclues de la marche de l'entreprise si elles restent à la maison pour s'occuper des enfants pendant quelques années :

MALHEUREUSEMENT, LE RÔLE D'ÉDUCATRICE NE PEUT FONCTIONNER À TEMPS PARTIEL, ALORS LA MÈRE DOIT RESTER À LA MAISON QUELQUES ANNÉES SANS APPORTER BEAUCOUP D'AIDE À LA FERME ET ELLE EN PERD DE GRANDS BOUTS.

J'AIMERAIS QU'IL Y AIT PLUS D'AIDE AUX FEMMES QUI TRAVAILLENT AU PROGRÈS DE LA FERME. SURTOUT POUR CELLES QUI ONT DES ENFANTS EN BAS ÂGE. ÇA POURRAIT ÊTRE UNE GARDIENNE OU UNE AIDE-MÉNAGÈRE, MAIS QUI SERAIT RÉMUNÉRÉE À MOITIÉ PAR UN ORGANISME, POUR AIDER LES JEUNES AGRICULTEURS À PARTIR.

Si les femmes pouvaient ainsi alléger leurs tâches ménagères, il est certain qu'elles pourraient jouer un rôle plus complet en agriculture. Elles pourraient alors se donner le temps de réflexion nécessaire aux prises de décisions importantes dans l'entreprise et les organismes professionnels. N'y aurait-il pas lieu de penser à un partage des tâches tant agricoles que ménagères ? Voilà un changement qui pourrait en permettre d'autres.

PLUS DE SÉCURITÉ ET D'AUTONOMIE FINANCIÈRES

Chose surprenante, surtout dans le milieu de l'entreprise, aucune femme ne parle d'accumuler du capital, de devenir riche ! Elles sont très nombreuses à vouloir améliorer leur situation financière mais c'est la sécurité, l'autonomie et le respect qu'elles recherchent, pas l'argent lui-même. Deuxième surprise : ces femmes qui contribuent à créer des entreprises dont la valeur moyenne est actuellement de 284 867 $[6] ne demandent souvent qu'un petit ou un moyen salaire.

JE SUIS POUR ÇA, MOI, UN SALAIRE MOYEN. DE NOS JOURS, UNE FEMME QUI NE GAGNE PAS EST ABAISSÉE AUX YEUX DE SON MARI. C'EST MON CAS.

CAR SI VOUS ACCEPTEZ DE VIVRE UN PEU DANS LE SILLON DU MARI, IL FAUT Y TROUVER DES AVANTAGES COMPARA-BLES À CEUX DE LA FEMME QUI REVIENT CHAQUE SEMAINE AVEC SA PAYE, POUR NE PAS QUE LE MARI DISE : « ELLE, C'EST PAS PAREIL, ELLE A SA PAYE. »

---

6. Recensement du Canada.

ILS DISENT : « LE PORTEFEUILLE EST LÀ, ELLES N'ONT QU'À PRENDRE CE DONT ELLES ONT BESOIN. » MAIS QUAND ON FAIT LA TENUE DE LIVRES ET QU'ON SAIT CE QU'IL Y A À PAYER, ON N'EN PREND QU'UN PEU, LE STRICT NÉCESSAIRE. ALORS UN PETIT VINGT DOLLARS PAR SEMAINE DONNÉ DE LA MAIN DE NOS MARIS SERAIT BIEN CONSIDÉRÉ.

ET DISPOSER D'UN CERTAIN MONTANT, SI PETIT SOIT-IL, POUR DES DÉPENSES PERSONNELLES SANS AVOIR À REN-DRE COMPTE DE CHAQUE CENT, SURTOUT SI ON NE REÇOIT AUCUN SALAIRE. TOUJOURS EN PROPORTION DU REVENU FAMILIAL, BIEN SÛR.

PEUT-ÊTRE BIEN UN SALAIRE POUR LA FEMME D'AGRICUL-TEUR, MÊME SI CE N'ÉTAIT QUE 100 $ PAR MOIS, POUR QUE L'ON SOIT PLUS INDÉPENDANTE.

LES FEMMES COLLABORATRICES, AIDÉES PAR D'AUTRES ORGANISMES, ONT OBTENU QUE LE SALAIRE DE LA FEMME SOIT RECONNU. C'EST BIEN, ÇA PROTÈGE LE PRÉSENT ET LE FUTUR. MAIS LE PASSÉ, IL FAUDRAIT MAINTENANT Y SON-GER. JE VEUX DIRE PAR ÇA TOUTES LES HEURES DE TRAVAIL QUI ONT ÉTÉ INVESTIES POUR MONTER L'ENTREPRISE ET QUI FONDENT COMME DU BEURRE DANS LA POÊLE LORSQUE L'ENTREPRISE EST VENDUE.

Photo : Jacques Leduc

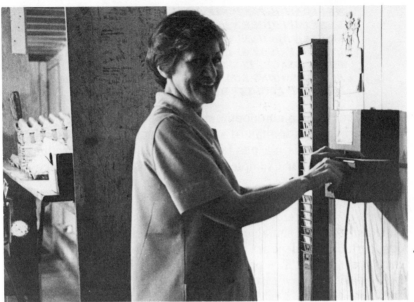

Photo : Jacques Leduc

*LE DROIT POUR LES FEMMES, QUE LEUR TRAVAIL SOIT LÉGA-
LEMENT PROTÉGÉ ET RECONNU ET LES MOYENS D'Y PARVE-
NIR. IL Y A TANT DE FEMMES QUI SONT MARIÉES EN SÉPA-
RATION DE BIENS ET DONT LES MARIS SONT PROPRIÉTAIRES
UNIQUES, ALORS QU'ELLES PARTICIPENT AUTANT QU'EUX
À LA RÉUSSITE DE L'ENTREPRISE. LES HOMMES SONT PRÊTS
À RECONNAÎTRE LE TRAVAIL DE LEUR FEMME DANS L'EN-
TREPRISE MAIS TRÈS PEU SONT PRÊTS À CONCRÉTISER
CETTE RECONNAISSANCE SOUS FORME DE DONATION, D'A-
CHAT EN COPROPRIÉTÉ OU AUTRES. ILS PRÉFÈRENT LE VER-
BAL MAIS LES PAROLES S'ENVOLENT ET LES ÉCRITS RES-
TENT.*

*QUE CE SOIT PAR CONTRAT DE MARIAGE OU PAR ACHAT DE
LA FERME, JE SOUHAITE QUE LA FEMME DEVIENNE PRO-
PRIÉTAIRE OU ACTIONNAIRE AU MÊME TITRE QUE SON MARI.
ELLE NE SE SENTIRA PLUS COMME LA SERVANTE OU L'HOM-
ME ENGAGÉ. MAIS DONNER UN SALAIRE À L'ÉPOUSE, JE NE
SUIS PAS POUR ÇA. AVEC ÇA LA FEMME PERD SA PLACE
D'ÉGALE À SON MARI.*

*QUE LES FEMMES COLLABORATRICES EN AGRICULTURE
AIENT LES MÊMES AVANTAGES QU'UNE FEMME QUI TRA-
VAILLE EN USINE.*

NE SERAIT-IL PAS JUSTE QUE LE TRAVAIL D'UNE FEMME QUI S'EST IMPLIQUÉE À 30,40 OU 50 % DANS L'ENTREPRISE PUISSE ÊTRE RECONNU À 30, 40 OU 50 % LORS DE LA VENTE DE L'ENTREPRISE ? SI LES TRAVAUX, LES DIFFICULTÉS, L'APPRENTISSAGE, LES RISQUES ONT ÉTÉ PARTAGÉS À PART PLUS OU MOINS ÉGALE, IL SERAIT JUSTE QU'IL EN SOIT DE MÊME DU PRODUIT DE LA VENTE DE LA FERME.

La recherche d'autonomie, de respect et de sécurité qui se fait sentir à travers ces souhaits d'amélioration de la situation financière est très forte, mais n'a pas la même intensité chez chacune. Les jeunes femmes, par exemple, pensent moins que leurs aînées à la sécurité.

Comme nous l'avons vu dans les témoignages qui précèdent, les moyens pour arriver à cette sécurité sont très diversifiés. Certaines attendent 20 $ par semaine ; d'autres exigent la moitié de l'exploitation, certaines veulent des droits de travailleuses et d'autres ceux de chefs d'entreprise. Les premières réclament le droit aux rentes du Québec (66 %), à l'assurance-chômage (39 %), aux allocations-maternité (37 %). Les autres parlent beaucoup de discrimination envers les femmes quant à l'accès au crédit agricole.

Ces différences dans les volontés de changement reflètent bien les diverses situations de travail des femmes. En effet, les femmes ne consacrent pas toutes le même temps à l'entreprise, elles n'y font pas toutes les mêmes tâches et n'y ont pas toutes le même intérêt. Il est donc normal que certaines se définissent comme des travailleuses et réclament des avantages comparables à ceux de travailleuses d'autres secteurs alors que d'autres se considèrent comme des gestionnaires d'entreprise et réclament d'être considérées comme tels.

Mais les agricultrices, comme les agriculteurs, sont très souvent à la fois travailleuses manuelles, travailleuses spécialisées et gestionnaires. C'est ce qui explique peut-être que beaucoup de femmes attendent à la fois des droits de travailleuses et de chefs d'entreprise.

À ce sujet, il me semble que les femmes, de façon individuelle ou collective, tireraient avantage à mieux se définir pour mieux situer leurs droits et leurs responsabilités. Parce qu'on ne leur accordera pas tout. Il est normal qu'une travailleuse n'ait pas droit au crédit agricole. Par ailleurs, les chefs d'entreprise n'ont pas de congés de maladie. En choisissant quel statut elles souhaitent avoir dans l'entreprise les femmes clarifieraient leurs droits et leurs responsabilités. Elles seraient ainsi mieux équipées pour les défendre.

Les femmes devront aussi clarifier d'autres notions, en ce qui concerne les questions financières. Elles confondent souvent salaire avec revenu et surtout, ce qui est plus grave, loi avec justice... Bien que le statut souhaité ne soit pas encore très précis chez toutes, il se manifeste tout de même une volonté claire d'en avoir un.

> *CE QUE JE COMPRENDS, À 40 ANS, C'EST QUE JE SUIS RESTÉE, FACE À TOUTES LES LOIS, UNE JEUNE FILLE DE 18 ANS AVEC AUCUN POUVOIR, AUCUN DROIT, RIEN D'ACQUIS, RIEN À MOI. TOUT EST À MON MARI, TOUT EST À SON NOM. TOUTES LES DÉCISIONS, BONNES OU MAUVAISES, SONT DE LUI.*

Définir le ou les statuts qui conviendraient le mieux aux femmes de l'agriculture reste donc un travail à faire.

Photo : Jacques Leduc

LA POSSIBILITÉ DE FAIRE DES CHOIX ET D'INFLUENCER LE DEVENIR DE L'AGRICULTURE

Bien que ce ne soit pas le désir de toutes, très nombreuses sont celles qui souhaitent être reconnues productrices agricoles, participer au syndicalisme ainsi qu'à tous les organismes professionnels agricoles. Nous l'avons vu, ce souhait est moins clair que les autres parce qu'il est souvent associé au désir d'être l'égale du mari, d'être reconnue.

Pourrait-on en conclure que dans les domaines de l'économie, de l'organisation du secteur agricole et de la place des agriculteurs dans la société, les femmes n'ont pas d'opinions et qu'elles ne recherchent, en fait, qu'une égalité symbolique ?

Les femmes ont-elles quelque chose d'original à dire dans les domaines qui dépassent les travaux de l'entreprise ? Ce qui ressort de l'enquête, où les femmes ont exprimé très clairement leurs positions sur ces sujets, c'est qu'elles *ont* quelque chose d'original à dire mais ne le savent pas.

Comment les femmes voudraient-elles que l'agriculture soit ? Très haut dans la liste de leurs souhaits, on retrouve le maintien de la ferme familiale. Les grosses entreprises menacent la qualité de la vie, surchargent de travail les exploitants et leur famille, entraînent des emprunts qui sont une exigence de plus dans la conduite d'une entreprise, rendent la relève plus difficile et menacent l'environnement. Or, la qualité de la vie et la possibilité de travailler en famille sont les grandes raisons pour lesquelles les femmes aiment l'agriculture et, par ailleurs, nous pouvons voir que la relève leur tient à cœur.

Ce souci de maintenir les exploitations à un niveau familial n'est cependant pas un « non » à la rentabilité. Au contraire, les femmes parlent de la nécessité de la gestion et de la formation, de la nécessité d'une bonne mise en marché... pour que les heures de travail qu'elles et leur famille font, soient rentables. De façon très marquée, elles sont en faveur de la ferme familiale rentable. Elles parlent même des moyens de réaliser un tel modèle.

IL LEUR FAUT GROSSIR, GROSSIR TOUJOURS, AUGMENTER SURTOUT LA MACHINERIE. L'EXPLOITATION DEVIENT UNE INDUSTRIE OÙ IL FAUT PRODUIRE PLUS, NON PAS POUR VIVRE MIEUX, MAIS POUR PAYER LA DETTE ET ENTREVOIR L'ACHAT D'UNE NOUVELLE MACHINE.

IL Y A TROP DE PUBLICITÉ POUR LES GROSSES FERMES. POURQUOI Y A-T-IL TANT DE CES GROSSES ENTREPRISES À VENDRE ? SI ON REVENAIT LES PIEDS SUR TERRE, COMBIEN DE NOS JEUNES POURRAIENT RÉALISER LEURS RÊVES D'ÊTRE AGRICULTEURS ?

IL FAUDRAIT UNE ENTREPRISE DE LOUAGE DE MACHINERIE, ÇA FERAIT MOINS D'INVESTISSEMENTS ET ON S'EN PORTE-RAIT BEAUCOUP MIEUX, MOI EN TOUT CAS, PARCE QUE JE SUIS FATIGUÉE DE VIVRE AVEC DES DETTES PAR-DESSUS LA TÊTE.

L'AGRICULTURE DOIT RESTER FAMILIALE, ELLE DOIT RE-DEVENIR ÉCOLOGIQUE. L'ÉQUILIBRE DOIT S'Y MAINTENIR. PAS DE « CRINQUAGE » AU « BOUTTE » PAR DES AGRONOMES AVIDES DE PRESTIGE MAIS PLUTÔT UN TRAVAIL À LA ME-SURE DE L'HOMME ET DONT LE FRUIT LE NOURRIT. QUE LA PRODUCTION AGRICOLE, DANS TOUTES LES SPHÈRES, SOIT AXÉE SUR LA MEILLEURE QUALITÉ. L'AGRICULTURE DOIT LAISSER BEAUCOUP DE PLACE AUX CHOIX PERSONNELS.

POUR L'AVENIR, DANS L'AGRICULTURE COMME DANS TOUT AUTRE DOMAINE, IL FAUT ÊTRE BIEN RENSEIGNÉ POUR ÊTRE COMPÉTENT DANS CE QUE L'ON FAIT.

QUE LES ENTREPRISES DEVIENNENT PLUS RENTABLES ET TOUJOURS HUMAINES.

IL FAUT ARRÊTER DE PROMOUVOIR LES TRÈS GROSSES FERMES. CE SONT DES ÉLÉPHANTS BLANCS QUI NE SONT PAS TOUJOURS RENTABLES ET FONT DE BELLES FAILLITES APRÈS AVOIR NUI AUX PRODUCTEURS MOYENS ET CELA, DE PLU-SIEURS MANIÈRES (VOTE DE LOIS, PUBLICITÉ TROMPEUSE, ETC.).

COMME LES PRODUCTIONS MASSIVES ET À HAUTE ÉCHELLE DANS UN TERRITOIRE RESTREINT ENGENDRENT LA POLLU-TION, JE CROIS QU'ON A TOUS LES ATOUTS EN MAIN POUR... METTRE EN PÉRIL L'AGRICULTURE DE DEMAIN.

L'AGRICULTURE, AUJOURD'HUI, NÉCESSITE DE GROS IN-VESTISSEMENTS MAIS N'APPORTE PAS UNE RENTABILITÉ ET UNE SÉCURITÉ SUFFISANTES ET PROPORTIONNELLES AUX INVESTISSEMENTS ET AUX HEURES DE TRAVAIL.

LE PLUS IMPORTANT SERAIT LA RENTABILITÉ DE LA FERME. AVOIR DES REVENUS PROPORTIONNELS AUX DÉPENSES. À LA MOINDRE PETITE AUGMENTATION DU LAIT, LA MOULÉE, LES ENGRAIS, LES SEMENCES AUGMENTENT PARFOIS DU DOUBLE DE NOTRE AUGMENTATION.

MOI, CE QUE JE TROUVE LE PLUS IMPORTANT, C'EST QUE NOUS SOYONS CAPABLES DE FAIRE LES CULTURES QUE NOUS VOULONS SUR NOTRE FERME ET QUE NOUS NE SOYONS PAS TOUJOURS DIRIGÉS PAR DES GENS QUI VEULENT VENIR NOUS « RUNNER » CHEZ NOUS, COMME ON DIT. ON A TRA-VAILLÉ TRÈS FORT POUR AVOIR CE QUE NOUS POSSÉDONS ET JE VOUDRAIS QU'ON AIT NOTRE LIBERTÉ.

ÉTABLIR DES COÛTS DE PRODUCTION RAISONNABLES EN TENANT COMPTE DU TRAVAIL DE LA FAMILLE. ÉTABLIR UN REVENU DÉCENT À L'AGRICULTEUR COMPTE TENU DU NOM-BRE D'HEURES OÙ IL TRAVAILLE.

Cette ferme familiale et rentable elles veulent pouvoir y tra-vailler sans stress excessif, en ayant une liberté de choix, des possibilités de repos, dans un environnement sain. C'est ce que je résume en parlant de qualité de vie.

De plus, ces entreprises qu'elles veulent organisées de manière à leur donner à la fois un bon niveau et une bonne qualité de vie, les femmes veulent pouvoir les transmettre à leurs enfants.

Photo : Jacques Leduc

LE PLUS GROS PROBLÈME EN CE QUI CONCERNE LA RELÈVE
C'EST L'ARGENT. NOTRE FERME EST À VENDRE, MAIS À PART
LES ÉTRANGERS D'AUTRES PAYS, IL EST IMPOSSIBLE OU
PRESQUE AUX JEUNES, À NOS FILS DE PRENDRE LA RELÈVE.

Parmi les commentaires que nous avons reçus, il y a eu 215 phrases comme celle-ci, ou les femmes s'inquiètent des possibilités de relève. C'est, avec la reconnaissance professionnelle et la rentabilité, le thème le plus fréquent. Fait important à noter : seulement deux ou trois femmes en parlent au féminin. L'une des répondantes écrit même : « Le jeune qui commence, il faut qu'il ait une épouse collaboratrice parce que seul, il n'arrivera pas. » Non seulement les filles n'ont pas besoin de capital ; elles sont un capital pour les autres. Quand les femmes se reconnaîtront-elles entre elles ?

En dehors de ces quatre caractéristiques, les répondantes à l'enquête ont aussi montré leur intérêt pour d'autres aspects de l'avenir de l'agriculture tels que :

— la diversification des productions au Québec, voire l'autosuffisance ;

> *IL ME SEMBLE QU'IL SERAIT IMPORTANT DE DEVENIR PLUS SUFFISANT DANS LES ALIMENTS QU'ON PRODUIT. DE CETTE FAÇON, ON POURRAIT UTILISER UNE PLUS GRANDE PARTIE DE NOTRE TERRE, QUI PRÉSENTEMENT N'EST PAS TOUTE CULTIVÉE, ET AINSI, RÉDUIRE LE NOMBRE DE CHÔMEURS ET STIMULER L'ÉCONOMIE EN GÉNÉRAL.*

> *UN QUÉBEC AUTO-SUFFISANT POUR QUE NOUS, AGRICULTEURS, PUISSIONS TOUJOURS VIVRE DE NOTRE BEAU MÉTIER.*

> *QUE LES PRODUCTIONS MARGINALES AIENT LEUR PLACE AU MÊME TITRE QUE LA VACHE LAITIÈRE ET LA PRODUCTION PORCINE, SURTOUT EN CE QUI A TRAIT À LA RECHERCHE.*

— la nécessité de publiciser les produits agricoles québécois ;
— le respect de la nature et de son rythme dans les interventions technologiques qui visent à améliorer la rentabilité ;
— le développement d'une solidarité agricole ;

> *QUE LES AGRICULTEURS DEMEURENT TOUJOURS ENSEMBLE, MAÎTRES DE LEUR DÉVELOPPEMENT.*

— le maintien d'un climat de compétition en agriculture ;

> *LA LIBRE ENTREPRISE ET LE MARCHÉ LIBRE STIMULENT LE MONDE À TRAVAILLER ; PRÉSENTEMENT CHACUN SE SENT ÉCRASÉ ET CONTRÔLÉ ET ÇA ENLÈVE AUX GENS LE GOÛT DE S'EMBARQUER.*

— la protection du territoire ;
— le crédit agricole et l'aide gouvernementale, thèmes très liés à celui de la rentabilité.

Voilà ce qui préoccupe les femmes dans le développement de l'agriculture ! Ces thèmes ont aussi été soulevés à une journée d'étude qui réunissait 230 femmes à St-Hyacinthe. Les organismes agricoles dirigés par les hommes prennent-ils ces problèmes en charge, les défendent-ils ? Nous pourrions apporter une réponse affirmative pour plusieurs de ces problèmes.

Mais si nous considérons les quatre principaux sujets de préoccupation des femmes, c'est-à-dire : la rentabilité, le maintien de la ferme familiale, la qualité de la vie et la relève, nous pouvons dire que seule la rentabilité est véritablement un dossier prioritaire pour les organismes agricoles. Ceux-ci n'ont pas, sur les autres questions, des idées opposées à celles des femmes mais ils ne consacrent pas beaucoup d'énergie à ces domaines. Alors, quand une femme décide de rester à la maison pour permettre à son mari d'aller à la réunion, ses intérêts sont-ils défendus ? Nous pourrions répondre : en partie seulement.

Ce n'est pas que les organismes agricoles, ou que les hommes, soient contre la ferme familiale, la qualité de vie en agriculture ou la relève. Mais ce ne sont pas leurs priorités. C'est ce qui fait dire à l'une des répondantes :

L'AGRICULTURE DU QUÉBEC A BESOIN D'IDÉES NOUVELLES. ET DES IDÉES, LES FEMMES EN ONT. QU'ELLES SE DONNENT LA CHANCE DE LES EXPRIMER. IL EST INUTILE D'ATTENDRE QUE TOUTES LES BARRIÈRES SOIENT TOMBÉES POUR S'IMPOSER. IL EST TEMPS D'ARRÊTER DE COMPTER SUR LES AUTRES POUR SE FRAYER UN CHEMIN.

Les femmes ont donc des idées. Elles l'ont montré dans l'enquête. Elles veulent aussi les dire ; 60 % d'entre elles veulent participer au syndicalisme. Il ne leur reste qu'à s'organiser pour y arriver.

DE LA FORMATION

Seulement 18 % des agricultrices ont déjà suivi un cours de formation agricole, mais leur désir de perfectionnement est grand. Le tableau qui suit nous en donne une idée.

Pour quelles tâches les femmes veulent-elles se perfectionner ?

Comptabilité	49 %
Gestion administrative	34 %
Soins aux animaux	33 %
Gestion du troupeau	28 %
Travaux des champs	20 %
Traite	16 %
Gestion des cultures	14 %
Achats pour l'entreprise	14 %
Recherche	11 %
Travaux mécaniques	10 %
Travail en serre	9 %

Photo : La Terre

Dans l'enquête, nous suggérions aussi des thèmes de cours ou de sessions de formation et nous demandions aux femmes :

Dans quels domaines souhaiteriez-vous suivre un cours ou une session de formation ?

Situation de la femme en agriculture	49,3 %
Domaine agricole	48 %
Techniques artisanales	32,6 %
Psychologie du couple	32,3 %
Affirmation de soi	21,8 %
Connaissance de soi	21,2 %
Prise de décision	16,7 %
Plans conjoints	14,6 %
Analyse d'informations	12,6 %
Syndicalisme agricole	10,9 %

Photo : Jacques Leduc

Par de nombreux commentaires les femmes ont montré leur intérêt pour la formation. Elles expliquent aussi quelles ont été leurs conditions d'apprentissage.

AUJOURD'HUI MON MARI NE PEUT PLUS SE PASSER DE MOI À L'ÉTABLE, MAIS J'AI APPRIS MALGRÉ LUI.

J'AIMERAIS DES COURS SUR L'ALIMENTATION DES ANIMAUX (VEAUX ET LAITIÈRES) POUR LA GESTION, CAR IL A FALLU QUE J'APPRENNE QUASIMENT SEULE.

L'une d'elles fait une suggestion qui exprime bien l'intérêt des jeunes femmes et la compétence des aînées.

J'AIMERAIS ÉGALEMENT QUE TOUTES LES AGRICULTRICES QUI ONT L'EXPÉRIENCE ET LA COMPÉTENCE PUISSENT AGIR AUPRÈS DE NOUS, « JEUNES » ET FUTURES AGRICULTRICES, PAR DES CONFÉRENCES, DES COURS DE FORMATION DE FEMMES SUR UNE ENTREPRISE AGRICOLE, ET QUE CEUX, ET SURTOUT CELLES, QUI ONT PASSÉ ET VÉCU AVANT NOUS LES PROBLÈMES ET LES JOIES DE LA FERME, NOUS LES COMMUNIQUENT.

Les femmes ont besoin de formation, mais elles peuvent aussi se la donner.

7

ON VEUT BIEN,
MAIS...

Comment expliquer le fossé qui sépare ce que font les femmes de ce qu'elles veulent faire ? Qu'est-ce qui rend compte de la distance entre ce qu'elles ont et ce qu'elles veulent avoir ? Entre ce qu'elles souhaitent pour l'avenir et ce qui s'en vient ?

Commençons par le plus gros morceau. Comment expliquer que les femmes aient des idées sur le devenir de l'agriculture et qu'elles ne les expriment pas publiquement ? Pourquoi veulent-elles être reconnues productrices agricoles et ne se font pas reconnaître ? Comment expliquer qu'elles souhaitent participer au syndicalisme agricole et qu'on ne les voit presque pas aux réunions ?

Prenons le cas d'une femme qui s'intéresse aux décisions qui se prennent en agriculture et qui détient suffisamment d'informations pour pouvoir se prononcer sur les questions qui concernent le devenir de l'agriculture. Cette femme, même si elle n'est pas propriétaire de l'entreprise, n'a qu'à mettre en marché pour 1 000 $ de produits agricoles à son nom pour se faire reconnaître productrice agricole. Elle devra ensuite débourser 110 $ pour être membre de l'UPA. Ces conditions ne sont pas très difficiles à remplir. Toutes les associations professionnelles exigent certaines conditions de leurs membres. Il n'y a pas ici de discrimination à l'égard des femmes. Plusieurs disent même qu'avec de telles conditions n'importe qui peut devenir producteur agricole. Pourquoi alors les femmes n'en profitent-elles pas ? L'enquête et l'observation du milieu agricole nous donnent plusieurs explications à ce phénomène.

D'abord, toutes les femmes ne savent pas qu'elles ont des idées intéressantes et valables, j'y reviens encore, elles ne s'accordent pas la valeur qu'elles ont. Ensuite, elles ne savent pas qu'elles ont des idées différentes de celles de leur mari. Elles pensent très souvent que lorsque leur mari va à une réunion, il défend ses idées à lui et les idées de sa femme. Or, nous l'avons vu, les hommes ne défendent pas toutes les idées des femmes. Ils n'y accordent pas la priorité.

D'autre part, les femmes n'ont pas suffisamment l'occasion de discuter de l'avenir de l'agriculture pour prendre conscience que ce à quoi elles tiennent en agriculture a bien des chances d'être détruit. L'étude de Michel Morisset sur la ferme familiale[7] montre que la spécialisation des fermes a entraîné la division du travail dans les entreprises et la concentration des fermes, le développement du salariat agricole. Ces réalités, qui vont en s'accentuant, risquent de donner aux femmes un travail compartimenté — plutôt que complé-

---

7. Michel Morisset, *Agriculture familiale ou capitaliste au Québec au XXe siècle*, thèse présentée pour l'obtention d'un doctorat d'État à l'Université de Paris VIII, Avril 1982.

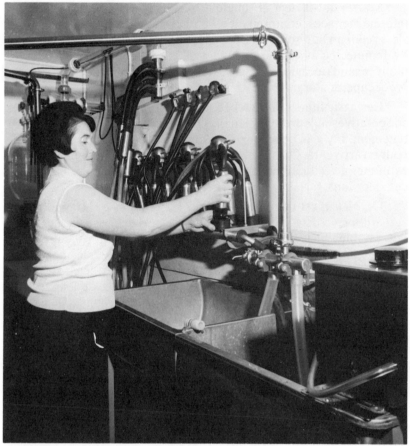

Photo : Hydro-Québec 67-3144

mentaire —, une situation ambiguë, parce qu'elles n'ont pas de statut et fait craindre pour la qualité de vie en agriculture de même que pour les possibilités qu'auront les enfants de prendre la relève. Marie-Catherine Bécouarn a montré dans une autre étude[8] que la mécanisation des entreprises, en France, a relégué les femmes à des tâches répétitives et de moins grande envergure.

Cette agriculture intéressera-t-elle encore les femmes ? Cette agriculture leur fera-t-elle une place ? Les femmes ne savent pas qu'actuellement leurs intérêts sont en jeu, elles ne savent pas qu'elles pourraient apporter à l'agriculture une contribution originale, donc, elles ne participent pas. Normal n'est-ce pas ?

8. Marie-Catherine Bécouarn, *Le travail des femmes d'exploitants dans l'agriculture et l'évolution des techniques,* thèse de troisième cycle présentée à l'Université de Tours.

Mais y a-t-il déjà eu quelque part un groupe qui, voyant ses intérêts menacés, comprenant qu'il peut travailler à les sauvegarder, s'est réuni un bon soir et a décidé de se prendre en main ? Comment les femmes en agriculture peuvent-elles se prendre en main si elles n'ont pas d'occasions ni de lieux pour discuter de ce qui les préoccupe et s'organiser ?

Les agriculteurs du Québec, qui ont formé des syndicats et des coopératives aujourd'hui bien organisés, ne se sont pas réunis spontanément. Il y a eu beaucoup d'actions d'éducation et de propagande pour en arriver là. On a mis des moyens en place pour réunir les gens, expliquer des situations, proposer des solutions, discuter et prendre des décisions.

Or, *rien* n'est mis en place pour les femmes qui travaillent en agriculture. Je dis « rien » parce qu'en regard des besoins, ce qui est fait est bien peu de chose et la plupart des actions entreprises actuellement reposent sur la bonne volonté de quelques personnes qui, pour la plupart, réussissent à se débrouiller avec de petits budgets ou investissent de leur argent personnel et de leur temps.

Dans les structures et le fonctionnement de l'UPA, aucune place n'est encore faite aux femmes. On a pourtant réussi à en faire une à leurs fils, qui ne sont pas non plus reconnus producteurs agricoles.

Bien sûr, les femmes peuvent aller aux réunions ; on ne les mettra pas à la porte même si elles ne sont pas membres. Mais rien n'est fait pour les inciter à y aller, rien n'est fait non plus pour adapter l'horaire ou l'organisation des réunions aux besoins des femmes. Pour participer à une réunion où les décisions se prennent à deux heures du matin, il ne faut pas avoir à s'occuper de jeunes enfants. Plusieurs femmes sentent encore qu'on les imagine beaucoup mieux préparant le lunch de fin de soirée que participant à une discussion sur l'environnement ou la mise en marché.

Plusieurs femmes savent qu'elles n'ont pas droit à l'erreur, que même si plusieurs producteurs peuvent, pendant une réunion « parler à travers leur chapeau », elles se doivent de donner l'image de personnes renseignées et sûres d'elles. « Pourquoi faut-il toujours être trois fois plus compétente qu'un homme chaque fois qu'on ouvre la bouche ? » disait récemment l'une d'elles.

Plusieurs femmes savent aussi que lorsqu'elles s'impliquent dans les discussions et qu'elles acceptent des responsabilités, on dira de leur mari qu'il est mou, qu'il se fait diriger par sa femme. On supposera même que ça ne marche pas bien dans leur ménage. Pour pouvoir s'impliquer, les femmes ont donc besoin d'avoir un mari sûr

de lui et capable de faire face à cette situation, qui est peut-être plus importante qu'il n'apparaît à première vue. En effet, toutes les femmes impliquées que je connais personnellement ont des relations de couple très solides et des conjoints aux fortes personnalités. Pourtant, j'entends rarement dire des hommes qui sont en réunion cinq soirs par semaine qu'ils le font parce que ça ne va pas dans leur ménage !

En fait, plusieurs hommes craignent la participation des femmes au syndicalisme et cela, de plusieurs manières. On critique celles qui veulent venir « runner » l'UPA. On trouve moyen de les discréditer. On en rit et parfois même on en parle avec mépris.

Si des femmes expriment des idées divergeantes on dira que les femmes ne savent pas ce qu'elles veulent. Comme si tous les hommes voulaient la même chose. Au sujet des plans conjoints par exemple, doit-on dire que les hommes ne savent pas ce qu'ils veulent ou qu'ils ne veulent pas tous la même chose ? Si les femmes n'arrivent pas à articuler des demandes précises, on oubliera qu'à elles, on a donné très peu de moyens de se rencontrer et que la plupart d'entre elles n'ont ni le temps, ni l'argent nécessaire pour développer une concertation.

Pourquoi ces comportements qui expriment la crainte ? Il est certain que la participation des femmes à l'UPA changerait des choses à la fois au plan de l'organisation, du fonctionnement et des orientations. Et le changement ne fait pas peur qu'aux femmes...

Certains y voient peut-être la fin des privilèges, la nécessité de partager du pouvoir, ou encore voient-ils venir le temps où ils devront discuter avec leur épouse d'égal à égale.

Peut-être aussi que les conditionnements sociaux et les histoires psychologiques des unes et des autres rendent difficile le travail commun des hommes et des femmes à un même projet ? Pourtant la collaboration homme-femme n'est pas nouvelle en agriculture. Au temps de nos grands-parents, alors qu'il n'y avait pas d'argent à partager, alors que les exploitations agricoles n'étaient pas considérées comme un capital mais uniquement comme un moyen de faire vivre la famille, alors que pour s'en sortir les époux étaient interdépendants, la collaboration se devait d'être là. Ne pourrait-elle pas revivre à l'intérieur des organismes professionnels ?

Lorsque cela sera, c'est-à-dire lorsque les femmes seront assez nombreuses dans les organisations pour représenter l'ensemble des femmes qui travaillent et s'impliquent en agriculture, alors elle pourront réduire l'écart qui existe actuellement entre ce qu'elles désirent et ce qu'elles vivent. Elles pourront exiger la formation qui leur convient, elles pourront présenter des projets qui leur garantissent de meilleures conditions de sécurité et d'autonomie financière, qui améliorent la qualité de vie en agriculture. Elles pourront surtout participer à trouver des moyens de sauvegarder la ferme familiale, dans des conditions économiques qui évoluent.

Pour arriver à cela, les femmes doivent modifier l'image qu'elles ont d'elles-mêmes, modifier le rôle qu'elles se donnent et celui qu'on leur donne, elles doivent trouver des structures, faire des consensus entre elles, déterminer le, ou les statuts qui leur conviennent. Pour faire tout cela, elles devront d'abord exiger qu'on leur donne des ressources. Il ne s'agit pas là d'un privilège ou d'une demande futile. Tous les groupes organisés ont eu besoin de cela. Ce n'est pas parce que les agricultrices ne sont pas membres d'un organisme qu'elles n'ont pas droit à des ressources pour s'organiser. Au contraire, il leur faut des ressources pour devenir membres d'un organisme. Ce qui m'inquiète c'est que les femmes exigent rarement, qu'elles sont très vite compréhensives et qu'elles se contentent souvent de peu. Mais tout commence là : se donner des moyens et ne pas considérer des droits comme des privilèges.

Photo : La Terre

8

QUE FERONT-ELLES ?

DES DÉMARCHES INDIVIDUELLES

La situation collective des femmes est liée à l'histoire personnelle de chacune d'entre elles. La plupart des femmes n'ont pas confiance en leur compétence, en leur valeur. Presque toutes dévalorisent ce qu'elles font en agriculture. Elles veulent être reconnues mais elles se reconnaissent elles-mêmes très peu. Comme elles s'accordent peu d'importance, elles en accordent peu à leurs filles. Et puis, quand on n'est pas importante, on accepte les rôles que les autres définissent pour nous, on se voit comme aide, on fait ce qu'il faut pour que d'autres réussissent. Il n'y a pas que les femmes en agriculture dans cette situation. C'est le propre de la condition féminine. Ce bout de chemin, la reconnaissance de soi, chaque femme devra le faire pour elle-même. Il y a là des choix personnels.

J'ai remarqué que plusieurs des femmes qui ont réussi à se faire la place qu'elles souhaitaient en agriculture y sont arrivées après un moment d'arrêt. L'une a fait un voyage, l'autre a expérimenté un travail à l'extérieur, une autre a dû prendre du repos à cause d'une maladie... Elles ont eu le temps de penser et autour d'elles, on a pris conscience que le travail qu'elles réalisaient était important. Tout le monde a vu qu'elles étaient importantes.

Un autre pas important ne serait-il pas de faire reconnaître ses investissements en argent ? Il y a là de nouvelles habitudes à prendre car même si les lois changent, même si la place des femmes est de plus en plus reconnue, il sera toujours nécessaire que les femmes clarifient leurs contributions (en temps et en argent) et les fassent reconnaître officiellement. Pour cela, peut-être faut-il commencer par croire soi-même à l'importance de ses contributions ?

D'autre part, la situation de chacune est différente ; les goûts et les aspirations de chacune aussi. Une femme mariée depuis vingt ans ne négociera pas avec son mari comme celle qui projette de se marier va le faire avec son ami. Un couple qui reprend le bien « paternel » n'est pas dans la même situation que celui qui achète d'un « étranger ». Et toutes ne veulent pas jouer le même rôle ! Certaines aspirent à être responsable de la gestion du troupeau, d'autres à être cogestionnaires, d'autres à remplir quelques tâches, d'autres à avoir une entreprise à elles.

Par ailleurs, nous en avons déjà parlé, si les hommes et les femmes partagent les rôles professionnels, il faut bien qu'un partage des rôles ménagers et familiaux se fasse aussi. Sinon, les femmes s'épuisent et ne peuvent plus participer aux décisions. Ici aussi chacune doit faire le point personnellement. Ces rôles, chaque femme doit les définir pour elle. Autrement, son entourage lui en définira un, et il n'est pas certain qu'il corresponde à ses aspirations.

En effet, très souvent sur les entreprises, les femmes n'ont pas de projet à elles. Elles aident les autres à réaliser les leurs. Mais pourquoi les femmes ne se tailleraient-elles pas des zones de travail et des zones de responsabilité ? Peut-être alors qu'au lieu de se définir comme « aides », comme « bouche-trous » (je l'ai entendu dans des réunions) pourraient-elles se définir selon leur rôle propre exercé en complémentarité avec celui du mari.

DES DÉMARCHES COLLECTIVES

Même au niveau de l'estime de soi et de la définition de son rôle, l'aide des autres femmes peut être utile. Faire part de ses perceptions, de ses projets aide souvent à les préciser. Entendre les réactions des autres apporte du support. Voir que la situation des autres ressemble à la sienne démystifie les problèmes, permet de les comprendre et d'en explorer les solutions. Déjà, sur ce plan les femmes auraient avantage à se réunir. Mais elles ont aussi autre chose à préciser.

Le statut actuel de producteur agricole n'a pas été pensé en fonction des femmes. Il faut de ce côté rechercher un ou — à mon avis — des statuts qui rendent compte de la réalité de l'implication des femmes en agriculture. Il revient à des juristes, des spécialistes de mettre ces formules au point, mais personne ne le fera sans que les femmes ne le demandent et, personnellement, je trouverais dangereux que ce travail se fasse sans la supervision, la participation et la critique des femmes concernées.

Photo : La Terre

Les femmes auront aussi intérêt, collectivement, à définir leur vision de l'agriculture et à en analyser l'évolution. Les tendances actuelles de l'économie agricole peuvent effacer de l'agriculture ce à quoi les femmes tiennent le plus. Les femmes doivent donc analyser ensemble ces situations et s'organiser pour exercer une influence. Bien sûr, il y a des changements sur lesquels ni les agricultrices, ni les agriculteurs n'ont de pouvoir, mais il reste quand même une marge où les femmes ont intérêt à jouer si elles veulent continuer à aimer l'agriculture ou, plus simplement, si elles veulent continuer à être présentes en agriculture.

Enfin, c'est ensemble que les femmes définiront ce dont elles ont besoin et s'organiseront pour que ces besoins soient satisfaits au plan de la formation, des assurances de toutes sortes, des rentes, des congés de maladie, des congés-maternité, des politiques de crédit, des conditions de travail, etc.

Individuellement, toutes ces réflexions sont commencées. Quelques hommes m'ont dit, alors que j'allais écrire des articles sur l'enquête dans *La Terre de chez nous*, qu'il fallait que j'y aille doucement, que les femmes sont craintives face à ces questions... mais quand je parle avec des femmes, elles sont beaucoup plus radicales que moi. Ça se comprend, ce que j'écris, elles le vivent. La sensibilisation à ces questions, elles l'ont, inscrite dans leur corps.

Mais si des démarches individuelles se font, le support collectif et l'organisation collective nécessaires pour arriver aux changements souhaités sont bien pauvres. Le travail de l'AFEAS et celui, plus récent, de l'Association des femmes collaboratrices sont loin d'être négligeables. Mais ces associations ne regroupent pas seulement des agricultrices et ne peuvent prendre en charge tous les intérêts des femmes du milieu. C'est *La Terre de chez nous* qui, actuellement, achemine l'information aux femmes et leur permet ainsi de se sentir un peu plus « ensemble ». Mais *La Terre de chez nous* est un organisme d'information et non de défense professionnelle.

Les quelques femmes qui ont des responsabilités à l'intérieur de l'UPA apportent leur point de vue personnel mais ne peuvent représenter les intérêts spécifiques de l'ensemble des femmes étant donné qu'il n'y a pas de regroupement. L'une d'elles me disait récemment qu'elle avait trouvé difficile de défendre les intérêts des femmes à l'UPA parce qu'elle ne sentait pas les femmes derrière elle. Ce n'est pas étonnant ; elles ne se réunissent à peu près jamais. Comment être représentative des intérêts des femmes en agriculture s'il n'y a pas de lieux ou de moyens pour réfléchir sur les situations qui sont spécifiques aux femmes ? Et comment doivent-elles s'organiser ? À l'intérieur de l'UPA ? Ailleurs ? Chaque voie a ses avantages et ses inconvénients.

L'UPA est un mouvement bien organisé qui a des ressources, une influence et qui est l'œuvre du milieu agricole — des hommes et des femmes — du Québec. S'intégrer à l'UPA, c'est profiter de ces ressources et de ce pouvoir, c'est déjà se donner de la force. C'est aussi avoir la possibilité de se prononcer et d'agir sur toutes les facettes de l'agriculture québécoise. C'est se donner les moyens de faire des demandes bien articulées avec celles des hommes et c'est aussi donner aux gouvernements et aux autres instances l'image d'un milieu unifié.

Mais les femmes seront, pour longtemps encore, minoritaires à l'UPA. Elles risquent donc, de toute manière, de devoir suivre ce que les hommes ont défini et même de donner du crédit à ce qu'ils ont décidé, aux yeux des autres femmes. Cette formule peut même servir à diminuer les demandes des femmes. Elles pourront croire que leurs voix sont entendues parce qu'elles sont représentées, mais en fait leur influence ne sera pas grande.

Une organisation de femmes en agriculture, parallèle à l'UPA, pourrait aussi se développer. Les femmes seraient alors entre elles et pourraient davantage exprimer toutes leurs attentes. Elles auraient plus de liberté d'organisation et pourraient certainement davantage développer un point de vue féminin sur l'avenir de l'agriculture. Les gouvernements devraient tenir compte à la fois de ce que l'UPA pense — c'est-à-dire, majoritairement, de ce que les hommes pensent — et de ce que les femmes pensent. Comme les deux groupes ont sensiblement le même nombre de votes à offrir, cette formule donnerait peut-être un pouvoir égal aux femmes. Avec un moins gros appareil, les femmes arriveraient à avoir un pouvoir équivalent à celui de leur mari, mais à ce moment elles risquent de rester en marge de certaines questions importantes comme, par exemple, la mise en marché. Cette structure pourrait à certains moments amener les deux associations — celle des femmes et l'UPA — à prendre des positions contradictoires et amener les femmes à être en opposition avec leur mari, ce qui pourrait en démobiliser plusieurs.

Il est clair qu'actuellement, les femmes ont besoin de ressources. Celles qui présentement travaillent bénévolement et se déplacent à leur frais n'auront pas toujours ces ressources à investir. Cependant, il ne faudrait pas que les femmes mettent toutes leurs énergies à convaincre l'UPA que leur participation est nécessaire et utile. Si elles doivent encore passer beaucoup de temps à convaincre cet

La Place que Nous Voulons Prendre dans le devenir de L'Agriculture

Photo : Damien Leclair

organisme des bienfaits de leur participation avant d'y influencer quelque chose, ce sera beaucoup de temps perdu.

Si les femmes décident de s'orienter vers une intégration à l'UPA, il faudra qu'elles soient convaincues qu'elles ne sont pas en train de demander un service à cet organisme mais plutôt en train de lui en rendre un. En effet, les femmes peuvent contribuer à régler les problèmes que l'UPA vit actuellement en ce qui a trait à la participation de ses membres. Impliquées dans le mouvement, les femmes apporteraient le dynamisme dont l'UPA a besoin. Les femmes, qui sont souvent plus instruites que leur mari, qui ont presque toutes une expérience d'éducation seraient, dans le travail d'information et de formation d'un organisme comme l'UPA, une ressource immense.

C'est là le grand risque. Si les femmes s'impliquent à l'intérieur de l'UPA, il ne faudra pas qu'elles perdent de vue leurs intérêts spécifiques. Elles devront faire attention pour continuer à travailler pour elles-mêmes en même temps qu'elles travaillent pour l'UPA.

Pour garantir cela, il faudrait que les femmes évitent d'être noyées dans la structure. Il faudrait que, pour un temps du moins, les femmes aient la possibilité de se retrouver entre elles pour définir leurs projets et ensuite les défendre à l'intérieur de la structure. Faudrait-il une Fédération de femmes comme il existe une Fédération de la relève ? Faudrait-il des colloques annuels, bi-annuels, trimestriels ? C'est le moment d'innover. C'est le moment pour les femmes de définir des structures qui leur conviennent. Quelle que soit la solution choisie, il leur faut des ressources techniques et financières, il faut des lieux de rencontres et d'échanges pour et par les femmes. Pour faire quoi ?

— pour aider chacune à se définir le rôle qui lui convient au plan du travail, de la gestion de l'entreprise, de la reconnaissance sociale ;
— pour aider chacune à réfléchir sur le partage des rôles entre les hommes et les femmes ;
— pour permettre à chacune de voir sa valeur ;
— pour définir un ou des statuts professionnels pour les femmes en agriculture ;
— pour définir une vision de l'agriculture ;
— pour se former ;
— pour défendre les droits spécifiques aux femmes ;
— pour tracer une voie à leurs filles.

EN FAIT, POUR SE RECONNAÎTRE ET ÊTRE RECONNUES !

Photo : La Terre

QUI VA PROFITER DE CES CHANGEMENTS ?

Si les femmes réussissent à opérer les changements qu'elles souhaitent, y aura-t-il des perdants ? Qui seront les gagnants ? Que va-t-il arriver si les femmes cessent de faire le train seules pour permettre aux maris d'aller à la réunion ? Que va-t-il arriver si elles exigent une rémunération pour leur travail ? Que va-t-il arriver si les femmes ne considèrent plus leur travail domestique comme naturel et organisent une répartition de ce travail entre les membres de la famille ? Que va-t-il arriver si les femmes s'organisent pour faire valoir leurs points de vue sur le devenir de l'agriculture ?

C'est certain, les femmes, en prenant la place qui leur revient, vont bousculer quelques personnes... **Mais tout ce à quoi les femmes tiennent, tout ce qu'elles risquent d'apporter si elles s'impliquent est bénéfique pour le milieu agricole.**

Les intérêts des hommes et des femmes en milieu agricole ne sont pas opposés. Ce que les hommes ont défendu par leurs organisations c'est surtout la rentabilité des entreprises et la stabilité des revenus. Les femmes tiennent à cela. Il est d'autres aspects cependant que les hommes ont négligés et que les femmes pourront prendre en charge. En utilisant toutes ses ressources le milieu agricole québécois défendra mieux tous ses intérêts.

Une reconnaissance de l'apport économique des femmes à l'agriculture, en donnant à celles-ci ce qui leur revient, en leur permettant d'être des personnes complètes, apportera au milieu agricole une énergie nouvelle, une efficacité que les femmes ont acquise à l'intérieur de leurs multiples tâches...

Où en seront les femmes dans cinq ans, dans dix ans ? Elles auront probablement changé beaucoup de choses. Grâce à elles, l'agriculture du Québec se développera davantage en tenant compte des véritables intérêts de la classe agricole du Québec.

L'AVENIR DE L'AGRICULTURE
par Michel Morisset

Michel Morisset, l'auteur de ce texte, est économiste. Il est l'auteur d'une thèse de doctorat sur la ferme familiale : *Agriculture familiale ou capitaliste au Québec au XXe siècle.* Actuellement à l'emploi de l'Office des producteurs de lait, M. Morisset présente ici un point de vue personnel qui n'engage pas son employeur.

L'avenir de l'agriculture se joue aujourd'hui même, il se joue constamment. Ce n'est pas dans vingt ans que l'on pourra alors changer à rebours les décisions prises aujourd'hui. Prenons un seul exemple : l'automne dernier, en commission parlementaire, le statut du producteur et de la productrice agricoles fut redéfini pour les années à venir. Quand ce dossier sera-t-il réouvert ? Dans plusieurs années sûrement et d'ici là, l'agriculture vivra avec l'orientation donnée actuellement.

Selon l'enquête de Suzanne Dion, les femmes qui travaillent actuellement en agriculture ont une vision claire de ce qu'elles veulent pour les années à venir. Elles veulent que l'agriculture soit rentable, qu'elle demeure familiale, que la ferme reste donc entre les mains des enfants qui forment la relève et qu'une qualité de vie se maintienne ou se développe en agriculture.

Si on regarde les tendances actuelles de l'agriculture, les femmes peuvent-elles espérer que leurs objectifs seront atteints, que l'agriculture et la ferme auront la configuration qu'elles désirent ?

La rentabilité

La rentabilité de l'exploitation tient, en premier lieu, à la sécurité et à la stabilité du revenu et donc aux prix agricoles. Comme il a déjà été dit par l'auteure de ce livre, c'est sûrement là l'aspect des revendications des femmes le mieux pris en charge par les organisations agricoles et les hommes. Assurance-récolte, assurance-stabilisation, plans conjoints, modèles et enquêtes de coût de production sont les garants de la rentabilité agricole.

Mais parlons plus concrètement. La rentabilité, c'est d'abord vivre décemment de son travail sans être obligé d'y consacrer la totalité de son temps comme bien souvent actuellement. Les prix garantis amènent un revenu à la famille mais tiennent-ils compte de tout le travail et surtout du travail de chacun et chacune ? Comment les femmes et leur travail sont-ils reconnus et rémunérés dans ces formules ? Le travail d'une femme équivaut-il *encore,* au ministère de l'Agriculture, à 70 % de celui de l'homme ? La femme mérite-t-elle *encore* le salaire minimum et l'homme celui de l'ouvrier spécialisé ?

Il reste bien des mentalités à changer et à rajeunir à ce sujet et seules les intéressées pourront le faire.

La ferme familiale et la relève agricole

Sans contredit, les femmes veulent voir l'agriculture évoluer sous une forme familiale. Ceci signifie d'abord que la ferme puisse être reprise par les enfants. Déjà sur ce point, la réalité que l'on connaît, nous oblige à mettre des bémols. La relève s'avère difficile dans bien des cas. Les critères du crédit agricole sont sévères et exigent l'atteinte rapide d'une taille rentable. Beaucoup de petites et de moyennes fermes — façon de parler — ne peuvent être reprises. Pour les autres, le capital devient énorme et la volonté des parents est limitée par les lois de l'impôt sur les dons ou sur les gains de capitaux.

Les jeunes qui reprennent des fermes le font le plus souvent en s'associant avec les parents ou entre eux. Ils créent une société ou une compagnie, une entité, une structure différente de la famille.

La relève passe donc de plus en plus aujourd'hui par une séparation de la ferme et de la famille.

On voit donc tout de suite que si les femmes veulent supporter la relève et la ferme familiale, elles devront s'assurer que le nouveau cadre dans lequel peut se faire la relève préserve ce qu'elles veulent préserver dans la ferme familiale. Car si les femmes tiennent à l'aspect familial, ce n'est pas pour le cadre vide, c'est pour son contenu : la possibilité de transmettre le travail accumulé au long d'une vie, à ses enfants ; l'indépendance dans le travail — ni salariés(es), ni patrons(nes) ; la qualité de vie ; la complémentarité des travaux et la place de chacun et chacune.

Or, les fermes transmissibles et celles qui auront été transmises, sont vouées au grossissement. Prenons quelques chiffres. Déjà en 1976, les 1 000 plus grosses fermes du Québec produisaient le tiers des ventes ; les 4 000 plus grosses, la moitié des ventes ; c'est donc dire que les 47 000 autres produisaient l'autre moitié. En 1982, la situation ne s'est pas améliorée.

Ces fermes sont de plus en plus spécialisées. Elles ne produisent qu'une seule marchandise importante pour la vente. Du fait de leur taille, elles ont un statut légal différent de la famille, que ce soit société ou compagnie. Elles emploient aussi des salariés(es), plus de trois à l'année en moyenne.

On peut se poser des questions : est-ce le genre de ferme à laquelle les femmes aspirent ? Quelle place occupent les femmes sur ces fermes ? Comment est partagé le travail entre l'homme, la femme, les enfants, les salariés(es) ?

Ces questions en font surgir d'autres. Dans le cadre de la ferme de demain, où la ferme sera de plus en plus séparée de la famille, la femme ne pourra plus exercer la même influence qu'actuellement si elle n'a comme moyen de le faire que les relations de couple. S'il y a plusieurs sociétaires ou actionnaires, les femmes devront penser à être assises à la bonne table.

Avec plusieurs personnes travaillant sur la ferme, que ces personnes soient de la famille ou non, la division du travail s'accentuera. Le modèle industriel, où sont divisées les tâches manuelles des tâches de supervision et de décision, risque de se reproduire. Avec le temps, qui sont ceux... ou celles qui seront le mieux à même de décider, ceux... ou celles le mieux à même d'exécuter ? La formation jouera un rôle fondamental ; forme-t-on les jeunes — garçons et filles — à cette division du travail ? Peut-on l'éviter ?

Qualité de vie

Quand on passe huit ou dix heures par jour à travailler sur la ferme, la qualité de vie doit être comprise comme qualité de vie à la maison mais aussi au travail. Sur cette question, il vaut mieux en rester au présent et se demander quelle est la part de vrai et la part de mythe dans la qualité de vie en agriculture.

L'agriculture est un des seuls secteurs en 1982 où l'on considère normale la semaine de plus de 40 heures, où il n'existe pas de système permettant de prendre des vacances, où beaucoup de lois de protection minimale de travail ne s'appliquent pas, où le travail des enfants est encore commun.

C'est aussi un secteur où les travaux les plus durs sont valorisés, ainsi que les risques... c'est là que l'on reconnaît les vrais hommes ! L'ignorance souvent, mais encore plus le rythme fou imposé à l'agriculture par toute la machine industrielle et financière en sont les causes. Grossir, produire plus et plus vite, étirer le temps de travail pour investir, payer ses dettes, c'est le cercle vicieux... Et la qualité de vie dans tout çà !

Depuis peu, les producteurs sont obligés d'assurer leurs employé(es) à la Commission de la santé et sécurité au travail (CSST). Ils peuvent aussi s'assurer ainsi que leur famille. Après moins de deux ans, on parle déjà de la situation scandaleuse qui prévaut en agriculture. Déjà 20 morts dans des accidents de ferme en 1982, 1 817 blessés déclarés en 1981.

On est loin de l'air pur, des petits oiseaux, des lacs et des rivières. Les enfants se baignent-ils encore où vous vous baigniez, il y a 20 ans ?

La qualité de vie en agriculture, c'est une chose à reconquérir.

On peut se demander en conclusion : comment a-t-on pu en arriver là alors que les intervenants s'accordent majoritairement pour soutenir la ferme familiale ?

Tout un ensemble de forces se sont conjuguées pour que l'on en arrive là. Les tendances au grossissement des entreprises, à leur spécialisation, à la division des tâches, dont les conséquences se feront sentir en agriculture dans les prochaines années, ne sont pas caractéristiques de ce secteur. Au contraire elles sont infiniment plus développées autour de vous, dans l'industrie et les services.

Longtemps l'agriculteur a cru être à l'abri de ces phénomènes. Ils ont certes été retardés et plus lents par rapport aux autres secteurs mais de là à en être épargné,... il faudrait faire tourner à l'envers la roue de l'histoire du capitalisme et des forces économiques. Tout pousse vers cette direction, que ce soit la recherche de la rentabilité, l'atteinte des tailles dites efficaces, la satisfaction des règles du crédit agricole ou l'utilisation optimale du nouvel équipement, de la nouvelle machinerie.

Des forces économiques que l'on peut nommer : gouvernements, crédit agricole, grandes entreprises et banques, veulent toujours restreindre le coût des aliments, élément central de dépense des salariés. Pour ce faire, on connaît les méthodes utilisées depuis longtemps pour pressurer l'agriculture. L'incitation à grossir quand ce n'est pas obligatoire, à se spécialiser, à diviser le travail ne sont que des variantes de ces méthodes pour garder bas les prix alimentaires en augmentant certes l'efficacité mais au prix de l'extension du temps de travail agricole, du stress et des conséquences prévisibles pour la ferme familiale.

Rentabilité peut-être ; ferme familiale, relève agricole, qualité de vie, j'en doute. Comme il a été dit à plusieurs reprises, les femmes ont personnellement beaucoup à perdre. De plus, ce à quoi elles tiennent, risque de disparaître à terme.

De nouvelles formules doivent être envisagées à la lumière, *d'abord* d'une prise de conscience des dangers possibles. Si on conclut qu'il n'y a aucun risque, laissons se matérialiser les tendances que l'on entrevoit déjà.

Les femmes ne sont sûrement pas les seules à avoir les objectifs énoncés. Elles ont seulement eu l'occasion de les dire. D'autres les partagent possiblement... les jeunes de la relève, les producteurs qui tiennent à l'entreprise familiale, etc., mais qui n'ont peut-être pas eu le temps de prendre conscience du problème.

L'avenir de l'agriculture se construit aujourd'hui. Il sera ce que ceux qui interviennent, le voudront. Il faut toutefois se rappeler que beaucoup de groupes y interviennent, les producteurs, les gouvernements, le grand capital des banques et de l'industrie et peut-être... les productrices agricoles qui devront s'y tailler une place.

DES LECTURES INTÉRESSANTES

Quand le cœur et la tête sont en affaire

L'Association des femmes collaboratrices vient de rééditer cette brochure publiée en 1978 par l'AFEAS. On y trouve l'explication des droits et devoirs des conjoints dans les différents régimes matrimoniaux ainsi que la description de la situation des époux dans les cas de vente de l'entreprise, de faillite, de séparation ou divorce, de décès, selon le type d'entreprise. On y explique les possibilités de rémunération pour les femmes dans les entreprises à propriétaire unique, en société et dans les entreprises incorporées.

On peut se procurer la brochure en écrivant à : l'Association des femmes collaboratrices, 14 rue Aberdeen, St-Lambert, J4P 1R3. Il faut envoyer une enveloppe affranchie (0.50 $) avec l'adresse de retour.

L'union libre, L'amour, l'eau fraîche et la loi et Nouveau droit de la famille

Ces brochures du Conseil du statut de la femme et du ministère de la Justice sont disponibles à : La direction des communications du ministère de la Justice, 1200 route de l'Église, Ste-Foy, Qué., J1V 4N1 et au : 1 rue Notre-Dame est, Bureau 3.133, Montréal, Qué., H2Y 1B6.

Les enfants de Jocaste de Christiane Olivier

Christiane Olivier est psychanalyste. Elle apporte dans son livre une contribution originale à la compréhension des relations entre les hommes et les femmes. Elle explique des concepts psychanalytiques d'une manière simple. Elle explique comment l'absence du père, dans les premières années de la vie d'une petite fille, peut amener la femme qu'elle deviendra a rechercher continuellement chez l'homme le regard qui lui donnera son identité et ce qu'elle va consentir à perdre dans beaucoup de domaines pour conserver cette identité. Elle explique aussi comment l'omniprésence de la mère dans l'éducation du petit garçon devient source de misogynie !

Ce livre est publié chez Denoël/Gonthier, dans la Collection « femme ». En vente dans toutes les librairies.

L'histoire des femmes au Québec depuis quatre siècles

Le Collectif Clio, formé de Micheline Dumont, Michèle Jean, Marie Lavigne et Jennifer Stoddart laisse une grande place, dans ce livre, aux femmes en milieu rural. Publié par les Quinze, éditeur, dans la Collection Idéelles, ce livre est en vente dans toutes les librairies.

LE QUESTIONNAIRE DE L'ENQUÊTE

ENQUÊTE

SUR LES FEMMES EN AGRICULTURE

publiée dans le journal *La Terre de chez nous* le 12 mars 1981

Qui sont elles ? Que font-elles ? Qu'est-ce qu'elles veulent ?

C'est à ces questions que cette enquête veut répondre. Elle s'adresse donc à toutes les femmes qui investissent à un titre ou à un autre dans une entreprise agricole : celles qui y mettent du travail, de l'argent, celles qui gèrent, celles qui possèdent l'entreprise, celles qui y sont salariées et celles qui y ont travaillé même si elles sont maintenant moins actives...

Il y a 60 questions et certaines d'entre elles demandent réflexion. Alors il faudra y mettre du temps. Nous espérons que vous prendrez le temps de le faire pour deux raisons :

C'EST L'OCCASION POUR LES ORGANISMES AGRICOLES DE VOUS CONNAÎTRE

Jusqu'à maintenant on a « senti » des souhaits, certaines demandes se sont exprimées de la part des femmes qui travaillent en agriculture. Mais on ne sait pas si ces demandes sont représentatives, si elles révèlent vraiment les aspirations des femmes. Alors on attend de savoir où aller avant d'y aller...

C'EST L'OCCASION POUR LES FEMMES QUI TRAVAILLENT EN AGRICULTURE DE SE CONNAÎTRE

Les résultats de l'enquête seront diffusés dans *La Terre de chez nous*. Vous pourrez alors savoir ce que les autres femmes pensent, vous pourrez comparer votre situation à celle des autres femmes... Cela vous permettra de mieux voir votre situation et probablement de mieux vous organiser personnellement et collectivement si des changements sont souhaités...

Cette initiative de *La Terre de chez nous* a été rendue possible grâce à la collaboration de l'UPA, de l'Association des femmes collaboratrices, du Comité des femmes producteurs de l'Estrie et du Département d'andragogie de la Faculté des sciences de l'éducation de l'Université de Montréal.

1. **Vous habitez dans quelle région ?**
   (Nous utilisons les territoires des Fédérations régionales de l'UPA).

   1 ☐ Abitibi-Témiscamingue
   2 ☐ Bas St-Laurent
   3 ☐ Côte du Sud
   4 ☐ Gaspésie - Îles de la Madeleine
   5 ☐ Lanaudière (Joliette)
   6 ☐ Laurentides — Outaouais
   7 ☐ Mauricie
   8 ☐ Nicolet
   9 ☐ Québec (Est Nord et Ouest)
   10 ☐ Beauce
   11 ☐ Saguenay-Lac-St-Jean
   12 ☐ St-Hyacinthe
   13 ☐ St-Jean-Valleyfield
   14 ☐ Sherbrooke (Estrie)

2. **Êtes-vous :**
   1 ☐ célibataire
   2 ☐ mariée
   3 ☐ divorcée
   4 ☐ séparée
   5 ☐ en union de fait

3. **Si vous êtes mariée, quel est votre statut matrimonial ?**
   1 ☐ Communauté de biens
   2 ☐ Séparation de biens
   3 ☐ Société d'acquêts

4. **Dans quelle catégorie d'âge vous situez-vous ?**
   1 ☐ Entre 15 et 19 ans
   2 ☐ Entre 20 et 24 ans
   3 ☐ Entre 25 et 29 ans
   4 ☐ Entre 30 et 34 ans
   5 ☐ Entre 35 et 39 ans
   6 ☐ Entre 40 et 44 ans
   7 ☐ Entre 45 et 49 ans
   8 ☐ Entre 50 et 54 ans
   9 ☐ Entre 55 et 59 ans
   10 ☐ 60 ans et plus

5. **Quelles études avez-vous faites ?**
   1 ☐ Primaire commencé mais non terminé
   2 ☐ Primaire terminé
   3 ☐ Secondaire commencé mais non terminé
   4 ☐ Secondaire terminé
   5 ☐ Collégial commencé mais non terminé ou l'équivalent
   6 ☐ Collégial terminé ou l'équivalent
   7 ☐ Universitaire commencé mais non terminé
   8 ☐ Universitaire terminé

6. **Êtes-vous fille d'agriculteur?**

   ₁ ☐ OUI   ₂ ☐ NON

7. **Avez-vous des enfants?**

   ₁ ☐ OUI   ₂ ☐ NON

8. **Si oui, combien avez-vous d'enfants qui habitent avec vous?**

   ₁ ☐ 1 ou 2
   ₂ ☐ 3 ou 4
   ₃ ☐ 5 et plus

9. **Avez-vous des enfants de moins de 6 ans?**

   ₁ ☐ OUI   ₂ ☐ NON

10. **Avez-vous des enfants qui ont de 6 à 12 ans?**

    ₁ ☐ OUI   ₂ ☐ NON

11. **Avez-vous présentement un travail rémunéré en dehors de l'entreprise?**

    ₁ ☐ OUI   ₂ ☐ NON

12. **Si oui, lequel?**

    ₁ ☐ enseignante
    ₂ ☐ cadre scolaire
    ₃ ☐ infirmière
    ₄ ☐ cadre en milieu hospitalier
    ₅ ☐ travailleuse en milieu hospitalier
    ₆ ☐ vendeuse
    ₇ ☐ secrétaire
    ₈ ☐ serveuse
    ₉ ☐ femme de ménage
    ₁₀ ☐ commerçante
    ₁₁ ☐ ouvrière
    ₁₂ ☐ caissière
    ₁₃ ☐ artisane
    ₁₄ ☐ employée agricole
    ₁₅ ☐ agronome
    ₁₆ ☐ technicienne agricole
    ₁₇ ☐ autre (spécifiez) _____

13. **Avant de travailler dans l'entreprise agricole, avez-vous exercé un autre métier?**

    ₁ ☐ OUI   ₂ ☐ NON

14. Si oui, lequel ?

1 ☐ enseignante
2 ☐ cadre scolaire
3 ☐ infirmière
4 ☐ cadre en milieu hospitalier
5 ☐ travailleuse en milieu hospitalier
6 ☐ vendeuse
7 ☐ secrétaire
8 ☐ serveuse
9 ☐ femme de ménage
10 ☐ commerçante
11 ☐ ouvrière
12 ☐ caissière
13 ☐ artisane
14 ☐ employée agricole
15 ☐ agronome
16 ☐ technicienne agricole
17 ☐ autre (spécifiez) _____

15. Êtes-vous personnellement :

1 ☐ **propriétaire unique d'une entreprise agricole**
actionnaire d'une entreprise agricole formée en compagnie :
2 ☐ avec votre mari
3 ☐ avec d'autres personnes que votre mari
4 ☐ avec d'autres personnes et votre mari
actionnaire d'une entreprise agricole formée en compagnie de gestion
5 ☐ avec votre mari
6 ☐ avec d'autres personnes que votre mari
7 ☐ avec d'autres personnes et votre mari
sociétaire d'une entreprise agricole :
8 ☐ avec votre mari
9 ☐ avec d'autres personnes que votre mari
10 ☐ avec d'autres personnes et votre mari
salariée d'une entreprise agricole
11 ☐ qui appartient à votre mari
12 ☐ formée en société ou en compagnie et dont votre mari fait partie
13 ☐ autre que les deux précédentes
collaboratrice de votre mari sans être vous-même actionnaire, sociétaire ou salariée
14 ☐ dans une entreprise dont votre mari est le seul propriétaire
15 ☐ dans une entreprise où votre mari est actionnaire ou sociétaire
16 ☐ **collaboratrice de votre père sans être actionnaire, sociétaire ou salariée**
17 ☐ retraitée

16. Êtes-vous personnellement reconnue producteur agricole ?

1 ☐ OUI   2 ☐ NON

17. **Si vous ne l'êtes pas, souhaitez-vous être reconnue personnellement producteur agricole?**
    1 ☐ OUI   2 ☐ NON
    3 ☐ Je ne connais pas les implications de ce changement
    4 ☐ Je n'y ai jamais pensé

18. **Si oui, pour quelles raisons?**
    1 ☐ parce que je veux participer pleinement aux risques, avantages et responsabilités de ma profession.
    2 ☐ parce que je veux améliorer ma situation financière
    3 ☐ parce que je souhaite être partenaire de mon mari
    4 ☐ autres raisons: spécifiez _____

19. **Si non, pour quelles raisons?**
    1 ☐ parce que mon mari ne veut pas
    2 ☐ parce que ma situation actuelle me convient parfaitement
    3 ☐ parce que ça demanderait des démarches trop compliquées
    4 ☐ autres raisons: spécifiez _____

20. **Si vous êtes légalement partenaire de l'entreprise, votre part représente quel pourcentage de l'avoir total de tous les associés ou actionnaires?**
    1 ☐   0-10 %   4 ☐ 31-40 %
    2 ☐ 11-20 %   5 ☐ 41-50 %
    3 ☐ 21-30 %   6 ☐ 51% et plus

21. **La part de votre mari représente quel pourcentage de l'avoir total de tous les partenaires?**
    1 ☐   0-10 %   4 ☐ 31-40 %
    2 ☐ 11-20 %   5 ☐ 41-50 %
    3 ☐ 21-30 %   6 ☐ 51 % et plus

22. **Avez-vous jusqu'à ce jour investi de votre argent dans l'entreprise agricole?**
    1 ☐ OUI   2 ☐ NON

23. **Si oui, s'agissait-il:**
    1 ☐ d'un salaire que vous receviez pour un travail rémunéré en dehors de l'entreprise agricole
    2 ☐ d'économies réalisées avant votre mariage
    3 ☐ d'un héritage personnel
    4 ☐ d'un salaire que vous recevez dans l'entreprise
    5 ☐ d'autres sources. Lesquelles? _____

24. **Êtes-vous payée pour le travail que vous faites dans l'entreprise agricole?**
    1 ☐ OUI   2 ☐ NON

25. **Si oui, comment êtes-vous payée?**
    1 ☐ Salaire hebdomadaire ou mensuel
    2 ☐ Salaire à l'heure
    3 ☐ Pourcentage sur les profits
    4 ☐ Participation accrue à l'actif de l'entreprise (billets, participation, actions)
    5 ☐ Dons
    6 ☐ Régime enregistré d'épargne-retraite
    7 ☐ Je prends ce qu'il me faut quand j'en ai besoin
    8 ☐ Autre (Spécifiez) _____

26. **Si vous êtes payée, êtes-vous satisfaite ou insatisfaite de votre rémunération?**
    1 ☐ Très satisfaite   3 ☐ Insatisfaite
    2 ☐ Satisfaite   4 ☐ Très insatisfaite

27. **Si vous n'êtes pas payée pour votre travail, quelle en est la raison?**
    (Choisissez l'affirmation qui se rapproche le plus de votre situation)
    1 ☐ Je n'ai pas demandé à être payée
    2 ☐ Les conditions financières de l'entreprise ne le permettent pas
    3 ☐ Je n'en ai pas besoin
    4 ☐ Mon mari trouve que ce n'est pas nécessaire
    5 ☐ Ça ne changerait rien au revenu familial
    6 ☐ Je ne veux pas désavantager mon mari au point de vue impôt
    7 ☐ Mon mari ne veut pas être désavantagé au point de vue impôt
    8 ☐ Ça ne serait pas avantageux pour l'entreprise
    9 ☐ Autre (spécifiez) _____

28. **Est-ce que le fait d'être payée ou pas a de l'importance pour vous?**
    1 ☐ OUI   2 ☐ NON
    3 ☐ Je ne sais pas

29. **Choisissez la ou les productions principales de l'entreprise agricole. (Si vous êtes impliquée dans plus d'une entreprise, tenez compte de l'ensemble de la production de ces entreprises). Ne pointez que les productions qui apportent un revenu à l'entreprise, n'indiquez pas les productions destinées à la consommation familiale ou uniquement à la production d'intrans pour l'entreprise.**

	1ère prod.	2e prod.	3e prod.
1 Bois	_____	_____	_____
2 Lait	_____	_____	_____
3 Oeufs	_____	_____	_____
4 Volailles	_____	_____	_____
5 Pommes de terre	_____	_____	_____
6 Porcs	_____	_____	_____
7 Sucre et sirop d'érable	_____	_____	_____
8 Pommes	_____	_____	_____
9 Cultures commerciales/céréales	_____	_____	_____
10 Boeuf de boucherie	_____	_____	_____
11 Fruits et légumes	_____	_____	_____
12 Produits de l'élevage ovin	_____	_____	_____
13 Produits de l'élevage caprin	_____	_____	_____
14 Lapins	_____	_____	_____
15 Tabac	_____	_____	_____
16 Poissons	_____	_____	_____
17 Autres (spécifiez)			

30. **Pouvez-vous dire combien d'heures vous consacrez en moyenne par semaine au travail agricole?**
(Mettez un crochet dans chacune des colonnes vis-à-vis des heures qui correspondent à votre situation).

	Le printemps	L'été	L'automne	L'hiver
1 5-10 heures ...	_____	_____	_____	_____
2 11-15 heures ...	_____	_____	_____	_____
3 16-20 heures ...	_____	_____	_____	_____
4 21-25 heures ...	_____	_____	_____	_____
5 26-30 heures ...	_____	_____	_____	_____
6 31-35 heures ...	_____	_____	_____	_____
7 36-40 heures ...	_____	_____	_____	_____
8 41-45 heures ...	_____	_____	_____	_____
9 46-50 heures ...	_____	_____	_____	_____
10 51-55 heures ...	_____	_____	_____	_____
11 56-60 heures ...	_____	_____	_____	_____
12 61-65 heures ...	_____	_____	_____	_____
13 66-70 heures ...	_____	_____	_____	_____
14 plus de 70 heures	_____	_____	_____	_____

31. **Quels sont les travaux agricoles que vous faites et combien de temps y consacrez-vous ? (Laissez de côté les tâches que vous n'accomplissez pas).**

	Nbre d'heures par mois	Nbre de mois	N'inscrivez rien dans cette colonne
Travaux des champs (labourage, hersage, semences, transplantations, sarclage, récolte, épandage, etc.)			
Soins aux animaux et aux volailles (alimentation et mise bas, prévention de maladies, surveillance, etc.)			
Entretien des bâtiments de ferme			
Entretien de l'environnement de la ferme			
Traite			
Nettoyage (laiterie)			
Écurage (étable, porcherie, poulailler...)			
Travaux mécaniques (réparation de machines, d'instruments aratoires...)			
Transport d'animaux, de fruits, de légumes			
Travail de serre (production de jeunes plants, repiquage, entretien...)			
Empaquetage et classification de produits			
Travail à l'érablière			
Transformation de produits (fabrication de fromage, travail de la laine, fabrication de produits de l'érable, extraction du miel, etc.)			
Supervision du travail des employés (répartition des tâches, vérification du travail, etc.)			
Vente de produits (à la maison, au marché, ailleurs)			
Accueil (agir comme réceptionniste ou téléphoniste pour les fournisseurs, les acheteurs, etc.)			
Représentation (représenter l'entreprise au syndicat de gestion, à l'UPA, à la Coopérative, dans d'autres organismes professionnels)			
Recherche (lire, s'informer, chercher des renseignements nécessaires aux opérations de la ferme)			
Comptabilité			
Réalisation des achats			
Hébergement à la ferme			
Commissions			
Autres travaux (spécifiez) :			

32. **Pour la liste des travaux suivants, mettez un crochet dans la première colonne si vous ne faites pas ce travail. Mettez un crochet dans la deuxième colonne si vous faites ce travail et que vous n'aimez pas le faire, et mettez un crochet dans la troisième colonne si vous faites ce travail et que vous aimez le faire.**

	Je ne le fais pas	Je le fais mais je n'aime pas le faire	Je le fais et j'aime le faire
Travaux des champs			
Soins aux animaux et aux volailles			
Entretien des bâtiments			
Traite			
Nettoyage			
Écurage			
Travaux mécaniques			
Transport			
Travail de serre			
Empaquetage			
Classification			
Travail à l'érablière			
Transformation de produits			
Supervision des employés			
Vente			
Accueil			
Représentation			
Recherche			
Comptabilité			
Gestion du troupeau			
Gestion des cultures			
Gestion administrative			
Achats pour l'entreprise			
Commissions et courses			
Autres (spécifiez)			

33. **Dans la liste des tâches suivantes, évaluez vous pour toutes les tâches que vous accomplissez.**

(Mettez un crochet dans la case appropriée et laissez de côté les tâches que vous n'accomplissez pas).

	Pas compétente	Passablement compétente	Très compétente
Travaux des champs	___	___	___
Soins aux animaux	___	___	___
Entretien des bâtiments	___	___	___
Traite	___	___	___
Nettoyage	___	___	___
Écurage	___	___	___
Travaux mécaniques	___	___	___
Transport	___	___	___
Travail de serre	___	___	___
Empaquetage	___	___	___
Classification	___	___	___
Travail à l'érablière	___	___	___
Transformation de produits	___	___	___
Supervision des employés	___	___	___
Vente	___	___	___
Accueil	___	___	___
Représentation	___	___	___
Recherche	___	___	___
Comptabilité	___	___	___
Gestion du troupeau	___	___	___
Gestion des cultures	___	___	___
Gestion administrative	___	___	___
Achats pour l'entreprise	___	___	___
Autres (spécifiez)	_____		

34. Pour quelles tâches souhaiteriez-vous acquérir plus de compétence ?

1 ☐ Travaux des champs
2 ☐ Soins aux animaux
3 ☐ Entretien des bâtiments
4 ☐ Traite
5 ☐ Nettoyage
6 ☐ Écurage
7 ☐ Travaux mécaniques
8 ☐ Transport
9 ☐ Travail de serre
10 ☐ Empaquetage
11 ☐ Classification
12 ☐ Travail à l'érablière
13 ☐ Transformation de produits
14 ☐ Supervision des employés
15 ☐ Vente
16 ☐ Accueil
17 ☐ Représentation
18 ☐ Recherche
19 ☐ Comptabilité
20 ☐ Gestion du troupeau
21 ☐ Gestion des cultures
22 ☐ Gestion administrative
23 ☐ Achats pour l'entreprise
24 ☐ Autres (spécifiez) _____

35. Quels sont les facteurs qui influencent le plus le partage des tâches dans l'entreprise ?

1 ☐ Vos goûts
2 ☐ Les goûts de votre mari
3 ☐ Les goûts de vos enfants
4 ☐ Les goûts des autres actionnaires ou sociétaires
5 ☐ Vos compétences
6 ☐ Les compétences de votre mari
7 ☐ Les compétences des autres actionnaires
8 ☐ Les engagements extérieurs de votre mari
9 ☐ Vos responsabilités envers les enfants
10 ☐ Le temps que vous pouvez consacrer à l'entreprise
11 ☐ La rentabilité de l'activité
12 ☐ La tradition d'attribuer certaines tâches aux femmes
13 ☐ La décision de votre mari
14 ☐ La décision commune après discussion
15 ☐ Autres (spécifiez) _____

36. **Lorsqu'il s'agit de prendre une grande décision (grosses dépenses, nouvelle production...) Comment cela se passe-t-il habituellement ?**
   1 ☐ Je prends la décision
   2 ☐ Mon mari prend la décision
   3 ☐ Je prends la décision avec mon mari
   4 ☐ Mon mari me consulte et prend la décision (seul ou avec les sociétaires ou actionnaires)
   5 ☐ Nous prenons la décision entre sociétaires ou actionnaires
   6 ☐ Je ne prends aucune part à la décision
   7 ☐ J'arrive à influencer les décisions
   8 ☐ Mon mari me consulte et tient compte de mes opinions en prenant ses décisions
   9 ☐ Autres (spécifiez) _____

37. **Votre mari accomplit-il les tâches suivantes ? (Si vous n'avez pas de jeunes enfants, laissez de côté les questions à ce sujet).**

Il le fait

	souvent	une fois sur deux	rarement	jamais
Préparation des repas	____	____	____	____
Entretien de la maison (ménage)..	____	____	____	____
Lavage de la vaisselle	____	____	____	____
Soins aux jeunes enfants (couches et biberons)	____	____	____	____
Achats et commissions pour la maison	____	____	____	____
Aide aux enfants dans leurs travaux scolaires	____	____	____	____
Participation aux réunions de parents à l'école	____	____	____	____
Prise en charge des enfants pendant certaines périodes pour vous permettre de faire une activité personnelle	____	____	____	____

38. **Diriez-vous que vous êtes satisfaite ou insatisfaite de votre travail agricole présentement ?**
   1 ☐ Très satisfaite
   2 ☐ Plutôt satisfaite
   3 ☐ Plutôt insatisfaite
   4 ☐ Très insatisfaite

39. Pourquoi êtes-vous satisfaite ?

1 ☐ Parce que ça me permet de travailler avec mon mari
2 ☐ Parce que j'aime l'agriculture
3 ☐ Parce que je trouve une qualité de vie dans l'agriculture
4 ☐ Parce que je fais plaisir à mon mari
5 ☐ Parce que je suis proche de mes enfants
6 ☐ Parce que c'est un domaine où je me sens compétente
7 ☐ Parce que je suis utile à la société
8 ☐ Parce que je suis mon propre patron
9 ☐ Parce que c'est un domaine où je peux m'épanouir comme femme
10 ☐ Parce que j'en tire des avantages financiers
11 ☐ Autres raisons (spécifiez) _____

40. Pourquoi n'êtes-vous pas satisfaite ?

1 ☐ Parce que ce n'est pas le domaine où je voudrais travailler
2 ☐ Parce que ça pose des problèmes de couple d'être toujours ensemble
3 ☐ Parce que je ne me sens pas compétente
4 ☐ Parce que je n'ai aucun pouvoir de décision
5 ☐ Parce que mes revenus ne sont pas assez élevés
6 ☐ Parce que je n'en tire aucun avantage financier
7 ☐ Parce que je n'ai pas assez de responsabilités
8 ☐ Parce que je suis surchargée de travail
9 ☐ Parce que je ne m'épanouis pas comme femme
10 ☐ Parce que c'est trop fatigant physiquement
11 ☐ Autres raisons (spécifiez) _____

41. Occupez-vous une fonction à l'intérieur de la structure de l'UPA ?

1 ☐ OUI   2 ☐ NON

42. Avez-vous déjà assisté à une réunion de l'UPA ? (syndicat de base — syndicat spécialisé — congrès régionaux)

1 ☐ OUI   2 ☐ NON

43. Allez-vous régulièrement aux réunions de l'UPA ? (syndicat de base — syndicat spécialisé — congrès régionaux)

1 ☐ OUI   2 ☐ NON

44. Si non, quelles sont les raisons qui vous empêchent d'y participer ?

1 ☐ Je n'ai pas le temps
2 ☐ Je reste à la maison pour permettre à mon mari d'y aller
3 ☐ Je n'y trouve aucun intérêt
4 ☐ Je ne suis pas membre
5 ☐ Je ne m'y sens pas à l'aise
6 ☐ Je n'aime pas le fonctionnement des réunions
7 ☐ Je trouve que l'on n'aborde pas les bonnes questions
8 ☐ Je n'y suis pas invitée
9 ☐ Je n'ai pas le droit de vote
10 ☐ Mon mari ne veut pas que j'y aille
11 ☐ Je manque de compétence
12 ☐ Autres raisons (spécifiez) _____

45. **Souhaiteriez-vous participer aux activités de l'UPA ?**

   1 ☐ OUI   2 ☐ NON

46. **Si oui, de quelle manière aimeriez-vous participer aux réunions de l'UPA ?**

   1 ☐ Comme observatrice
   2 ☐ Comme observatrice ayant droit de parole
   3 ☐ Comme membre avec droit de parole et de vote
   4 ☐ Comme remplaçante occasionnelle de votre mari avec droit de parole et de vote par procuration
   5 ☐ Comme remplaçante de votre mari pour la durée d'un mandat défini avec droit de parole, de vote et d'éligibilité
   6 ☐ Autres (spécifiez) _____

47. **Participez-vous aux activités de votre coopérative ? (S'il y a lieu).**

   1 ☐ OUI   2 ☐ NON

48. **Si non, souhaiteriez-vous participer aux activités de votre coopérative ?**

   1 ☐ OUI   2 ☐ NON

49. **Occupez-vous une fonction à l'intérieur de votre coopérative ?**

   1 ☐ OUI   2 ☐ NON

50. **Participez-vous aux réunions de votre syndicat de gestion ? (S'il y a lieu).**

   1 ☐ OUI   2 ☐ NON

51. **Si oui, occupez-vous une fonction à l'intérieur de votre syndicat de gestion ?**

   1 ☐ OUI   2 ☐ NON

52. **Si non, souhaitez-vous participer aux activités de votre syndicat de gestion ?**

   1 ☐ OUI   2 ☐ NON

53. **Si vous n'y participez pas, quelles en sont les raisons ?**

   1 ☐ Je manque de compétence
   2 ☐ Je n'ai pas le temps
   3 ☐ Je reste à la maison pour permettre à mon mari d'y aller
   4 ☐ Je n'y trouve aucun intérêt
   5 ☐ Je n'y suis pas invitée
   6 ☐ Je n'aime pas le fonctionnement des réunions
   7 ☐ Je ne suis pas membre
   8 ☐ Je ne m'y sens pas à l'aise
   9 ☐ Mon mari préfère que je n'y aille pas
   10 ☐ Autres raisons (spécifiez) _____

54. Souhaitez-vous avoir accès :

	Oui	Non	?
Au Régime des rentes du Québec	_____	_____	_____
Aux prestations d'assurance-chômage	_____	_____	_____
Aux programmes de formation professionnelle	_____	_____	_____
À la protection des accidents de travail ...	_____	_____	_____
À la prime de congé de maternité	_____	_____	_____

55. Avez-vous déjà suivi un cours de formation agricole ? (cours aux adultes)

1 ☐ OUI   2 ☐ NON

56. Si non, indiquez la ou les raisons qui vous en ont empêchée.

1 ☐ je n'avais pas le temps
2 ☐ les cours se donnent trop loin de chez moi
3 ☐ j'ai préféré que mon mari y aille
4 ☐ je n'avais pas le droit de m'inscrire
5 ☐ on a refusé de m'inscrire
6 ☐ ça ne m'intéresse pas
7 ☐ je n'étais pas payée
8 ☐ autres (spécifiez) _____

57. Avez-vous déjà suivi un cours de formation personnelle (cours aux adultes, tels que artisanat, relations humaines, etc.) ?

1 ☐ OUI   2 ☐ NON

58. Si non, indiquez la ou les raisons qui vous en ont empêchée.

1 ☐ je n'avais pas le temps
2 ☐ les cours se donnent trop loin de chez moi
3 ☐ j'ai préféré que mon mari y aille
4 ☐ je n'avais pas le droit de m'inscrire
5 ☐ on a refusé de m'inscrire
6 ☐ ça ne m'intéresse pas
7 ☐ autres raisons (spécifiez) _____

59. Si vous étiez décidée à suivre un cours, quelle serait la formule la plus avantageuse pour vous ?

1 ☐ un cours qui se donnerait un soir par semaine durant 10 semaines consécutives
2 ☐ un cours qui se donnerait un après-midi par semaine durant 10 semaines consécutives
3 ☐ un cours qui se donnerait un avant-midi par semaine durant 10 semaines consécutives
4 ☐ un cours qui se donnerait une journée par semaine durant 5 semaines consécutives
5 ☐ un cours qui se donnerait durant une semaine entière.
6 ☐ un cours qui se donnerait durant deux fins de semaine.
7 ☐ toute formule me conviendrait.
8 ☐ autres (spécifiez) _____

60. **En supposant que ces cours soient offerts dans votre région, dans quels domaines souhaiteriez-vous suivre un cours ou une session de formation ? (Vous pouvez cocher plus d'un sujet).**
    1 ☐ Prise de décision
    2 ☐ Affirmation de soi
    3 ☐ Analyse d'informations
    4 ☐ Connaissance de soi
    5 ☐ Économie agricole
    6 ☐ Syndicalisme agricole
    7 ☐ Situation de la femme en agriculture
    8 ☐ Techniques artisanales
    9 ☐ Psychologie du couple
    10 ☐ Plans conjoints

DES DONNÉES PRÉCISES

1. Régime matrimonial selon les différents groupes d'âge.

	Communauté de biens	Séparation de biens	Société d'acquêts	Aucun
15/19 ans	—	—	28.6 %	71.4 %
20/24 ans	4.8 %	56.8 %	25.2 %	14.3 %
25/29 ans	6.3 %	59.1 %	25.4 %	9.3 %
30/34 ans	8.2 %	72.6 %	13.3 %	5.9 %
35/39 ans	20 %	70 %	4.7 %	5.3 %
40/44 ans	36.2 %	56.4 %	1.3 %	6.2 %
45/49 ans	44.8 %	4.3 %	4.3 %	5.2 %
50/54 ans	46.8 %	45.8 %	2 %	5.5 %
55/59 ans	53.9 %	35.6 %	—	4.4 %
60 ans et plus	74.4 %	17.9 %	—	5.1 %
Pour l'ensemble :	24.7 %	58 %	10.2 %	7 %

2. Niveau de scolarité selon les âges.

	Primaire commencé	Primaire terminé	Secondaire commencé	Secondaire terminé	Collégial commencé	Collégial terminé	Universitaire commencé	Universitaire terminé
15/19 ans			57.1 %	28.5 %		14.2 %		
20/24 ans	.6 %		16.3 %	42.8 %	12.2 %	20.4 %	2 %	5.4 %
25/29 ans		1.1 %	18.5 %	39.1 %	11 %	22.3 %	3.2 %	4.4 %
30/34 ans	.7 %	3.9 %	25 %	32.9 %	5.3 %	18 %	5 %	8.9 %
35/39 ans	4.1 %	17 %	22.9 %	20.5 %	6.4 %	17 %	3.8 %	7.9 %
40/44 ans	8.4 %	26.7 %	28.6 %	16.9 %	3.9 %	10.7 %	1.6 %	2.6 %
45/49 ans	6.6 %	30.9 %	20.4 %	20.9 %	4.2 %	12.3 %	1.9 %	2.3 %
50/54 ans	10.4 %	33.8 %	19.4 %	18.9 %	3.9 %	10.9 %		1.9 %
55/59 ans	10 %	33.3 %	18.8 %	16.6 %	3.3 %	12.2 %		2.2 %
60 ans et plus	10.2 %	28.2 %	28.2 %	7.6 %	2.5 %	15.3 %	2.5 %	
Total :	4.5 %	16.2 %	22.4 %	26.4 %	6.3 %	16.1 %	2.7 %	5 %

3. Filles d'agriculteurs selon les groupes d'âge.

15/19 ans	85.7 %
20/24 ans	59.2 %
25/29 ans	50.1 %
30/34 ans	60.9 %
35/39 ans	62.4 %
40/44 ans	81.1 %
45/49 ans	81.4 %
50/54 ans	88.1 %
55/59 ans	83.3 %
60 ans et plus	87.2 %

4. Avez-vous présentement un travail rémunéré en dehors de l'entreprise ?

Oui	15 %
Non	85 %

5. Nombre de répondantes exerçant ces métiers.

Enseignante	75
Secrétaire	43
Infirmière	33
Caissière	14
Artisane	14
Femme de ménage	10
Vendeuse	8
Travailleuse en milieu hospitalier	7
Employée agricole	6
Ouvrière	5
Cadre en milieu hospitalier	4
Cadre scolaire	4
Agronome	3
Technicienne agricole	3
Commerçante	1
Serveuse	0
Autres	85

6. Avant de travailler dans l'entreprise agricole, avez-vous exercé un autre métier ?

Oui	78 %
Non	20 %
Pas de réponse	2 %

7. Nombre de répondantes ayant exercé ces métiers avant.

Enseignante	399
Secrétaire	279
Ouvrière	210
Femme de ménage	178
Serveuse	93
Caissière	87
Infirmière	83
Vendeuse	71
Travailleuse en milieu hospitalier	58
Artisane	57
Employée agricole	30
Commerçante	13
Cadre en milieu hospitalier	10
Technicienne agronome	7
Agronome	6
Cadre scolaire	5
Autres	281

8. Répondantes ayant actuellement un travail rémunéré en dehors de l'entreprise.

15/19 ans	28.5 %
20/24 ans	24.4 %
25/29 ans	15.5 %
30/34 ans	17.8 %
35/39 ans	17.3 %
40/44 ans	10.7 %
45/49 ans	8.5 %
50/54 ans	9.9 %
55/59 ans	13.3 %
60 ans et plus	7.6 %

9. Pourquoi souhaitez-vous être reconnue productrice agricole ?

Groupes d'âge	15/19	20/24	25/29	30/34	35/39	40/44	45/49	50/54	55/59	60 ans et plus
Je veux participer pleinement aux risques, avantages et responsabilités de ma profession	25 %	34,5 %	40,4 %	35,3 %	27,7 %	24,7 %	27,2 %	18 %	15,6 %	28,5 %
Je veux améliorer ma situation financière		8,3 %	7,6 %	8 %	8,3 %	13,6 %	19,4 %	14 %	15,6 %	14,2 %
Je souhaite être partenaire de mon mari	50 %	44 %	44,8 %	47,9 %	52,2 %	53,8 %	45,4 %	60 %	50 %	57,1 %
Je veux participer aux organismes agricoles		1,1 %	0,5 %	0,5 %	1,2 %	1,7 %				
Autres	25 %	11,9 %	6,5 %	8 %	10,3 %	5,9 %	7,7 %	8 %	19,7 %	

10. Si vous n'êtes pas payée pour votre travail qu'elle en est la raison ?

Groupes d'âge	15/19	20/24	25/29	30/34	35/39	40/44	45/49	50/54	55/59	60 ans et plus
Je n'ai pas demandé à être payée	66,6 %	20,9 %	15,9 %	14,8 %	17,7 %	18,1 %	19,5 %	21,9 %	26,4 %	14,8 %

Les conditions financières de l'entreprise ne le permettent pas	33,3 %	31,4 %	38,2 %	34 %	30 %	23,4 %	14,6 %	23,4 %	15,6 %	21,2 %
Je n'en ai pas besoin		9,5 %	5,3 %	5 %	7,4 %	5,3 %	8,1 %	4,5 %	4,9 %	12,7 %
Mon mari trouve que ce n'est pas nécessaire		1,9 %	3,9 %	4,1 %	4,8 %	5,7 %	5,9 %	5,1 %	6,8 %	2,1 %
Ça ne changerait rien au revenu familial		13,3 %	12,7 %	15,7 %	14,8 %	17,4 %	22,2 %	14,2 %	14,7 %	8,5 %
Je ne veux pas désavantager mon mari au point de vue impôts			1 %	1,5 %	2,9 %	2,6 %	2,1 %	2,5 %	0,9 %	4,2 %
Mon mari ne veut pas être désavantagé au point de vue impôts			1,7 %	2,5 %	0,6 %	0,6 %	0,5 %	2,5 %		
Ce ne serait pas avantageux pour l'entreprise	1,9 %	2,1 %	2,1 %	3,1 %	2,9 %	3,6 %	2,1 %	5,6 %	3,9 %	2,1 %
Je prends ce qu'il me faut	8,5 %	13,4 %	13,4 %	15 %	16,1 %	17,1 %	21,7 %	17,3 %	24,5 %	21,2 %
Autres	12,3 %	5,3 %	5,3 %	3,4 %	2,2 %	5,7 %	2,7 %	2,5 %	1,9 %	6,3 %

11. Quels sont les travaux agricoles que vous faites et combien d'heures y consacrez-vous ?

Nombre d'heures par année	Nombre de répondantes qui déclarent faire ce nombre d'heures	% de celles qui font ce travail	% de l'ensemble des répondantes
1 à 100 heures	300	36 %	14,6 %
101 à 200 heures	145	17 %	7 %
201 à 300 heures	62	7 %	3 %
301 à 400 heures	54	6 %	2,6 %
401 à 500 heures	37	5 %	1,8 %
501 à 600 heures	32	4 %	1,5 %
601 à 700 heures	15	1 %	0,7 %
701 à 800 heures	14	2 %	0,6 %
801 à 900 heures	14	2 %	0,6 %
901 à 998 heures	4	0 %	0,1 %
999 heures et plus	50	6 %	2,4 %
Imprécis*	120	14 %	5,7 %
TOTAL	847	100 %	41,2 %

* Dans les tableaux 11 à 32 : ces répondantes ont indiqué faire ce travail mais les renseignements fournis ne nous permettaient pas de faire le calcul du nombre d'heures par année.

12. Soins aux animaux et aux volailles (alimentation et mise bas, prévention des maladies, surveillance, etc.)

Nombre d'heures par année	Nombre de répondantes qui déclarent faire ce nombre d'heures	% de celles qui font ce travail	% de l'ensemble des répondantes
1 à 100 heures	182	18 %	8,8 %
101 à 200 heures	134	14 %	6,5 %
201 à 300 heures	72	7 %	3,5 %
301 à 400 heures	107	11 %	5,2 %
401 à 500 heures	34	3 %	1,6 %
501 à 600 heures	37	4 %	1,8 %
601 à 700 heures	14	1 %	,6 %
701 à 800 heures	70	7 %	3,4 %
801 à 900 heures	14	2 %	,6 %
901 à 998 heures	11	1 %	,5 %
999 heures et plus	151	15 %	7,3 %
Imprécis	171	17 %	8,2 %
TOTAL	997	100 %	48 %

13. Entretien des bâtiments de ferme

Nombre d'heures par année	Nombre de répondantes qui déclarent faire ce nombre d'heures	% de celles qui font ce travail	% de l'ensemble des répondantes
1 à 100 heures	407	58 %	19,8 %
101 à 200 heures	82	12 %	3,9 %
201 à 300 heures	30	4 %	1,4 %
301 à 400 heures	26	4 %	1,2 %
401 à 500 heures	6	1 %	0,2 %
501 à 600 heures	3	0 %	0,1 %
601 à 700 heures	1	0 %	0 %
701 à 800 heures	6	1 %	0,2 %
801 à 900 heures	0	0 %	0 %
901 à 998 heures	0	0 %	0 %
999 heures et plus	6	1 %	0,2 %
Imprécis	134	19 %	6,5 %
TOTAL	701	100 %	34 %

14. Entretien de l'environnement de la ferme

Nombre d'heures par année	Nombre de répondantes qui déclarent faire ce nombre d'heures	% de celles qui font ce travail	% de l'ensemble des répondantes
1 à 100 heures	525	58 %	25,5 %
101 à 200 heures	119	13 %	5,7 %
201 à 300 heures	45	5 %	2,1 %
301 à 400 heures	22	3 %	1 %
401 à 500 heures	5	0	0,2 %
501 à 600 heures	9	1 %	,4 %
601 à 700 heures	2	0	0
701 à 800 heures	8	1 %	,3 %
801 à 900 heures	0	0	0
901 à 998 heures	0	0	0
999 heures et plus	7	1 %	,3 %
Imprécis	165	18 %	7,9%
TOTAL	907	100 %	44 %

15. Traite

Nombre d'heures par année	Nombre de répondantes qui déclarent faire ce nombre d'heures	% de celles qui font ce travail	% de l'ensemble des répondantes
1 à 100 heures	76	9 %	3,7 %
101 à 200 heures	44	5 %	2,1 %
201 à 300 heures	32	4 %	1,5 %
301 à 400 heures	46	5 %	2,2 %
401 à 500 heures	33	4 %	1,6 %
501 à 600 heures	31	4 %	1,5 %
601 à 700 heures	27	3 %	1,3 %
701 à 800 heures	132	16 %	6,4 %
801 à 900 heures	31	3 %	1,5 %
901 à 998 heures	16	2 %	,7 %
999 heures et plus	221	26 %	10,7 %
Imprécis	160	19 %	7,7 %
TOTAL	851	100 %	41 %

16. Nettoyage (laiterie)

Nombre d'heures par année	Nombre de répondantes qui déclarent faire ce nombre d'heures	% de celles qui font ce travail	% de l'ensemble des répondantes
1 à 100 heures	359	36 %	17,4 %
101 à 200 heures	204	20 %	9,9 %
201 à 300 heures	82	8 %	3,9 %
301 à 400 heures	121	13 %	5,8 %
401 à 500 heures	15	1 %	0,7 %
501 à 600 heures	6	1 %	0,2 %
601 à 700 heures	6	0	0,2 %
701 à 800 heures	16	2 %	0,7 %
801 à 900 heures	1	0	0
901 à 998 heures	2	0	0
999 heures et plus	8	1 %	0,3 %
Imprécis	179	18 %	8,7 %
TOTAL	999	100 %	48 %

17. Écurage (étable, porcherie, poulailler)

Nombre d'heures par année	Nombre de répondantes qui déclarent faire ce nombre d'heures	% de celles qui font ce travail	% de l'ensemble des répondantes
1 à 100 heures	131	31 %	6,3 %
101 à 200 heures	92	21 %	4,4 %
201 à 300 heures	42	10 %	2 %
301 à 400 heures	53	12 %	2,5 %
401 à 500 heures	10	3 %	,4 %
501 à 600 heures	5	1 %	,2 %
601 à 700 heures	2	1 %	0
701 à 800 heures	9	2 %	0,4 %
801 à 900 heures	1	0	0
901 à 998 heures	1	0	0
999 heures et plus	14	3 %	0,6 %
Imprécis	70	16 %	3,4 %
TOTAL	430	100 %	20 %

18. Travaux mécaniques (réparation de machines, d'instruments aratoires, etc.)

Nombre d'heures par année	Nombre de répondantes qui déclarent faire ce nombre d'heures	% de celles qui font ce travail	% de l'ensemble des répondantes
1 à 100 heures	52	66 %	2,5 %
101 à 200 heures	7	8 %	0,3 %
201 à 300 heures	2	4 %	0
301 à 400 heures	1	0	0
401 à 500 heures	0	0	0
501 à 600 heures	0	0	0
601 à 700 heures	0	0	0
701 à 800 heures	0	0	0
801 à 900 heures	0	0	0
901 à 998 heures	0	0	0
999 heures et plus	0	0	0
Imprécis	18	22 %	0,8 %
TOTAL	80	100 %	3,6 %

19. Transport d'animaux, de fruits, de légumes, etc.

Nombre d'heures par année	Nombre de répondantes qui déclarent faire ce nombre d'heures	% de celles qui font ce travail	% de l'ensemble des répondantes
1 à 100 heures	67	56 %	3,2 %
101 à 200 heures	14	11 %	0,6 %
201 à 300 heures	2	2 %	0
301 à 400 heures	0	0	0
401 à 500 heures	0	1 %	0
501 à 600 heures	1	0	0
601 à 700 heures	0	0	0
701 à 800 heures	0	0	0
801 à 900 heures	0	0	0
901 à 998 heures	0	0	0
999 heures et plus	0	0	0
Imprécis	36	30 %	1,7 %
TOTAL	120	100 %	5,5 %

20. Travail de serre

Nombre d'heures par année	Nombre de répondantes qui déclarent faire ce nombre d'heures	% de celles qui font ce travail	% de l'ensemble des répondantes
1 à 100 heures	97	46 %	4,7 %
101 à 200 heures	21	10 %	1
201 à 300 heures	11	5 %	0,5 %
301 à 400 heures	9	5 %	0,4 %
401 à 500 heures	2	1 %	0
501 à 600 heures	6	2 %	0,2 %
601 à 700 heures	2	1 %	0
701 à 800 heures	3	2 %	0,1 %
801 à 900 heures	1	0	0
901 à 998 heures	0	0	0
999 heures et plus	10	5 %	0,4 %
Imprécis	49	23 %	2,3 %
TOTAL	211	100 %	10 %

21. Empaquetage et classification de produits

Nombre d'heures par année	Nombre de répondantes qui déclarent faire ce nombre d'heures	% de celles qui font ce travail	% de l'ensemble des répondantes
1 à 100 heures	49	38 %	2,3 %
101 à 200 heures	24	19 %	1,1 %
201 à 300 heures	11	9 %	0,5 %
301 à 400 heures	9	7 %	0,4 %
401 à 500 heures	4	3 %	0,1 %
501 à 600 heures	5	4 %	0,2 %
601 à 700 heures	2	1 %	0
701 à 800 heures	1	1 %	0
801 à 900 heures	1	1 %	0
901 à 998 heures	0	0	0
999 heures et plus	5	4 %	0,2 %
Imprécis	16	13 %	0,7 %
	127	100 %	5,5 %

22. Travail à l'érablière

Nombre d'heures par année	Nombre de répondantes qui déclarent faire ce nombre d'heures	% de celles qui font ce travail	% de l'ensemble des répondantes
1 à 100 heures	107	47 %	5,2 %
101 à 200 heures	38	17 %	1,8 %
201 à 300 heures	18	8 %	0,8 %
301 à 400 heures	11	5 %	0,5 %
401 à 500 heures	2	1 %	0
501 à 600 heures	6	3 %	0,2 %
601 à 700 heures	1	0	0
701 à 800 heures	2	1 %	0
801 à 900 heures	0	0	0
901 à 998 heures	0	0	0
999 heures et plus	0	0	0
Imprécis	40	18 %	1,9 %
TOTAL	225	100 %	10 %

23. Transformation de produits (fabrication de fromage, travail de la laine, fabrication de produits de l'érable, extraction du miel, etc.)

Nombre d'heures par année	Nombre de répondantes qui déclarent faire ce nombre d'heures	% de celles qui font ce travail	% de l'ensemble des répondantes
1 à 100 heures	83	58 %	4, %
101 à 200 heures	19	13 %	0,9 %
201 à 300 heures	6	4 %	0,2 %
301 à 400 heures	3	2 %	0,1 %
401 à 500 heures	2	2 %	0
501 à 600 heures	0	0	0
601 à 700 heures	1	1 %	0
701 à 800 heures	1	0	0
801 à 900 heures	0	0	0
901 à 998 heures	0	0	0
999 heures et plus	4	3 %	0,1 %
Imprécis	24	17 %	1,1 %
TOTAL	143	100 %	6,4 %

24. Supervision du travail des employés (répartition des tâches, vérification du travail, etc.)

Nombre d'heures par année	Nombre de répondantes qui déclarent faire ce nombre d'heures	% de celles qui font ce travail	% de l'ensemble des répondantes
1 à 100 heures	107	55 %	5,2 %
101 à 200 heures	24	12 %	1,1 %
201 à 300 heures	12	6 %	0,5 %
301 à 400 heures	10	5 %	0,4 %
401 à 500 heures	3	1 %	0,1 %
501 à 600 heures	1	1 %	0
601 à 700 heures	1	0	0
701 à 800 heures	1	0	0
801 à 900 heures	0	1 %	0
901 à 998 heures	0	0	0
999 heures et plus	4	2 %	0,1 %
Imprécis	34	17 %	1,6 %
TOTAL	197	100 %	9 %

25. Vente de produits (à la maison, au marché, ailleurs)

Nombre d'heures par année	Nombre de répondantes qui déclarent faire ce nombre d'heures	% de celles qui font ce travail	% de l'ensemble des répondantes
1 à 100 heures	116	45 %	5,7 %
101 à 200 heures	45	17 %	2,2 %
201 à 300 heures	14	6 %	0,7 %
301 à 400 heures	15	6 %	0,7 %
401 à 500 heures	4	2 %	0,1 %
501 à 600 heures	3	1 %	0,1 %
601 à 700 heures	1	0	0
701 à 800 heures	2	0	0
801 à 900 heures	0	1 %	0
901 à 998 heures	0	0	0
999 heures et plus	8	3 %	0,4 %
Imprécis	50	19 %	2,4 %
TOTAL	258	100 %	12,3 %

26. Accueil (agir comme réceptionniste ou téléphoniste pour les fournisseurs, les acheteurs, etc.)

Nombre d'heures par année	Nombre de répondantes qui déclarent faire ce nombre d'heures	% de celles qui font ce travail	% de l'ensemble des répondantes
1 à 100 heures	395	56 %	19,2 %
101 à 200 heures	96	14 %	4,6 %
201 à 300 heures	32	4 %	1,5 %
301 à 400 heures	18	3 %	0,8 %
401 à 500 heures	5	1 %	0,2 %
501 à 600 heures	5	0	0,2 %
601 à 700 heures	1	1 %	0
701 à 800 heures	5	0	0,2 %
801 à 900 heures	2	1 %	0
901 à 998 heures	1	0	0
999 heures et plus	9	1 %	0,4 %
Imprécis	135	19 %	6,5 %
TOTAL	704	100 %	34 %

27. Représentation (représenter l'entreprise au syndicat de gestion, à l'UPA, à la coopérative, dans d'autres organismes professionnels)

Nombre d'heures par année	Nombre de répondantes qui déclarent faire ce nombre d'heures	% de celles qui font ce travail	% de l'ensemble des répondantes
1 à 100 heures	155	69 %	7,5 %
101 à 200 heures	12	6 %	0,5 %
201 à 300 heures	3	1 %	0,1 %
301 à 400 heures	3	1 %	0,1 %
401 à 500 heures	2	1 %	0
501 à 600 heures	1	1 %	0
601 à 700 heures	0	0	0
701 à 800 heures	0	0	0
801 à 900 heures	0	0	0
901 à 998 heures	0	0	0
999 heures et plus	1	0	0
Imprécis	46	20 %	2,1 %
TOTAL	223	100 %	10,3 %

28. Recherche (lire, s'informer, chercher des renseignements nécessaires aux opérations de la ferme)

Nombre d'heures par année	Nombre de répondantes qui déclarent faire ce nombre d'heures	% de celles qui font ce travail	% de l'ensemble des répondantes
1 à 100 heures	407	51 %	19,8 %
101 à 200 heures	157	20 %	7,6 %
201 à 300 heures	42	5 %	2 %
301 à 400 heures	39	5 %	1,8 %
401 à 500 heures	6	1 %	0,2 %
501 à 600 heures	2	0	0
601 à 700 heures	1	0	0
701 à 800 heures	2	0	0
801 à 900 heures	2	1 %	0
901 à 998 heures	1	0	0
999 heures et plus	4	0	0,1 %
Imprécis	138	17 %	6,7 %
TOTAL	801	100 %	39 %

29. Comptabilité

Nombre d'heures par année	Nombre de répondantes qui déclarent faire ce nombre d'heures	% de celles qui font ce travail	% de l'ensemble des répondantes
1 à 100 heures	691	52 %	33,6 %
101 à 200 heures	231	18 %	11,2 %
201 à 300 heures	74	6 %	3,6 %
301 à 400 heures	39	3 %	1,8 %
401 à 500 heures	16	1 %	0,7 %
501 à 600 heures	6	0	0,2 %
601 à 700 heures	3	0	0,1 %
701 à 800 heures	15	2 %	0,7 %
801 à 900 heures	2	0	0
901 à 998 heures	5	0	0,2 %
999 heures et plus	11	1 %	0,5 %
Imprécis	220	17 %	10,6 %
TOTAL	1313	100 %	63 %

30. Réalisation des achats

Nombre d'heures par année	Nombre de répondantes qui déclarent faire ce nombre d'heures	% de celles qui font ce travail	% de l'ensemble des répondantes
1 à 100 heures	235	61 %	11,4 %
101 à 200 heures	50	13 %	2,4 %
201 à 300 heures	10	3 %	0,4 %
301 à 400 heures	3	1 %	0,1 %
401 à 500 heures	0	0	0
501 à 600 heures	2	0	0
601 à 700 heures	1	0	0
701 à 800 heures	0	0	0
801 à 900 heures	0	0	0
901 à 998 heures	0	0	0
999 heures et plus	2	1 %	0
Imprécis	86	22 %	4,1 %
TOTAL	389	100 %	18 %

31. Hébergement à la ferme

Nombre d'heures par année	Nombre de répondantes qui déclarent faire ce nombre d'heures	% de celles qui font ce travail	% de l'ensemble des répondantes
1 à 100 heures	47	35 %	2,2 %
101 à 200 heures	19	14 %	0,9 %
201 à 300 heures	8	6 %	0,3 %
301 à 400 heures	6	5 %	0,2 %
401 à 500 heures	4	3 %	0,1 %
501 à 600 heures	5	4 %	0,2 %
601 à 700 heures	0	0	0
701 à 800 heures	1	0	0
801 à 900 heures	1	1 %	0
901 à 998 heures	0	0	0
999 heures et plus	8	6 %	0,3 %
Imprécis	35	26 %	1,7 %
TOTAL	134	100 %	6 %

32. Commissions

Nombre d'heures par année	Nombre de répondantes qui déclarent faire ce nombre d'heures	% de celles qui font ce travail	% de l'ensemble des répondantes
1 à 100 heures	371	56 %	18 %
101 à 200 heures	123	19 %	5,9 %
201 à 300 heures	36	5 %	1,7 %
301 à 400 heures	11	2 %	0,5 %
401 à 500 heures	5	0	0,2 %
501 à 600 heures	1	1 %	0
601 à 700 heures	4	0	0,1 %
701 à 800 heures	0	0	0
801 à 900 heures	1	0	0
901 à 998 heures	1	0	0
999 heures et plus	3	0	0,1 %
Imprécis	103	16 %	5 %
TOTAL	659	100 %	32 %

33. Souhaitez-vous participer aux activités de l'UPA ?

	Oui	Non
15-19 ans	57 %	43 %
20-24 ans	53 %	47 %
25-29 ans	65 %	35 %
30-34 ans	64 %	36 %
35-39 ans	62 %	38 %
40-45 ans	58 %	42 %
45-49 ans	59 %	41 %
50-55 ans	56 %	44 %
55-59 ans	48 %	52 %
60 ans et plus	51 %	49 %
Pour l'ensemble	60 %	40 %

34. Avez-vous déjà suivi un cours de formation agricole ? (cours aux adultes)

Oui	18 %
Non	82 %

35. Si non, indiquez la ou les raisons qui vous en ont empêchée ?

Je n'avais pas le temps	32,8 %
J'ai préféré que mon mari y aille	20,5 %
Les cours se donnent trop loin de chez moi	20 %
Ça ne m'intéresse pas	9,5 %
Je n'avais pas le droit de m'inscrire	7,3 %
Je n'étais pas payée	4,3 %
On a refusé de m'inscrire	1,7 %
Je n'ai jamais été informée de ces cours	1 %
Il n'y a jamais eu de cours qui correspondaient à mes besoins	0,6 %
Autres	14,1 %

36. Nombre d'heures consacrées en moyenne par semaine au travail agricole

	Printemps	Été	Automne	Hiver
5 à 15 h	30 %	20 %	29 %	49 %
16 à 30 h	35 %	28 %	34 %	32 %
31 à 45 h	21 %	24 %	22 %	14 %
46 à 60 h	8 %	15 %	9 %	3 %
60 h et plus	6 %	12 %	5 %	3 %

TABLE DES MATIÈRES

Achevé d'imprimer
en janvier mil neuf cent quatre-vingt-trois
sur les presses de l'Imprimerie Gagné Ltée
à Louiseville (Québec)
pour le compte des
Éditions LA TERRE DE CHEZ NOUS